АЛЕКСАНДР АЛЕХИН

ПАРТИЯ С СУДЬБОЙ

СВЕТЛАНА ЗАМЛЕЛОВА

БОМБОРА™

Москва 2021

УДК 794.1:929
ББК 75.581
З-26

Замлелова, Светлана.

З-26   Александр Алехин. Партия с судьбой / Светлана Замлелова. — Москва : Эксмо, 2021. — 224 с. — (Иконы спорта).

ISBN 978-5-04-110450-4

Александр Алехин — гений комбинаций, рекордсмен по игре вслепую, единственный не побежденный при жизни чемпион мира. Человек с трудной и необычной судьбой, шахматист, обладающий уникальным по красоте стилем игры, он оставил после себя не имеющие аналогов блестящие литературные и аналитические труды.

УДК 794.1:929
ББК 75.581

Содержание

Введение

Эта повесть адресована не только шахматистам, читатель не найдет в ней ни одной шахматной нотации, ни одной партии, сыгранной Алехиным, подробно разобранной и представленной схематически. Повесть предназначена для всех, кому небезынтересна судьба великого соотечественника, во многом трагическая и загадочная. Именно в загадках, которыми окружены жизнь и смерть гениального маэстро, мы и попытаемся разобраться на этих страницах.

Разного рода странности и недоразумения, окружившие имя шахматного короля, дали основания для появления нелепых измышлений и необоснованных порой упреков в адрес Александра Алехина. Даже смерть его сделалась поводом не только для толков и домыслов, но и для взаимных нападок и обвинений исследователей его творчества и биографии. Разобраться в нагромождении домыслов — вот главная цель этой повести. Собрав воедино множество разрозненных фактов, попытаемся указать на скрывающие истину противоречия и, по возможности, сорвать покровы таинственности, наброшенные рукой недобросовестных исследователей на память русского гения.

Мы рассмотрим все, что на сегодня известно и доступно. Мы выслушаем очевидцев и свидетелей и только потом попробуем сделать выводы, избегая беспочвенных фантазий и необоснованных утверждений. Наша задача — постараться восстановить истину или хотя бы приблизиться к ней.

Когда 24 марта 1946 г. примерно в 11 часов утра официант по имени Иво в сопровождении мальчика-гарсона, чье имя история не сохранила, повернул ключ в двери комнаты № 43 отеля «Парк» в португальском Эшториле, никто из них не знал, что с этого дня их город станет известен всему миру как место упокоения великого Александра Алехина.

Слово «великий» применительно к Алехину (именно так — через «е», на чем настаивал сам гроссмейстер) — это вовсе не преувеличение и не восторженное сотрясание воздуха. Всемирно признанный шахматный гений, выдающийся игрок и шахматный писатель, непревзойденный аналитик и комментатор, единственный чемпион мира, умерший непобежденным — Александр Александрович Алехин является национальным достоянием России. Помимо прочих заслуг, Алехин наряду с М. И. Чигориным, которого чемпион мира лично не знал, но считал своим учителем, стал создателем русской шахматной школы, традиции и принципы которой получили всестороннее развитие в Советском Союзе. Именно Алехин, заявлявший, что шахматы для него — не игра, но искусство, не просто развил идеи М. И. Чигорина, но и прославил русскую шахматную школу, отличавшуюся от прочих активным неприятием шаблонов и отношением к шахматам как к творческому процессу, когда красота и нетривиальность партии ставится выше победы как таковой.

Современники Алехина предсказывали скорое умирание шахмат как исчерпавшей себя игры. Точнее, исчерпавшей себя считалась шахматная теория. Для предотвращения этой смерти предлагалось даже изменить правила. Так, Эм. Ласкер уверял, что шахматы ограниченны, что однажды все шахматные комбинации будут познаны, а массы любителей приобщатся ко всем тайнам игры. И вот тогда-то развитие шахмат закончится. Ласкер, а за ним и Х. Р. Капабланка заговорили о «ничейной смерти» шахмат, о необходимости пересмотра правил.

Но именно против такого преклонения перед теорией, перед уже прописанными и не раз игранными партиями, восставала русская шахматная школа в лице Чигорина и Алехина. «Ибо что такое «теоретическое» в шахматах, — восклицал Чигорин, — как не то, что можно встретить в учебниках и чего стараются придерживаться, раз не могут придумать чего-либо более сильного или равного, самобытного». Ему вторил и Алехин, осуждая пренебрежение к интуиции, к фантазии — к тому, что превращает шахматы в подлинное искусство, в творческий акт, без чего шахматы действительно мельчают. Но если Чигорин не сумел добиться наивысших шахматных результатов, если, оставаясь неподражаемым художником, автором красивых комбинаций и глубоких замыслов, он не обладал выдержкой и характером, необходимыми для побед в серьезных соревнованиях, то Алехин был признан и как художник, и как боец.

В противовес тем, кто находил удовлетворение исключительно в победе как таковой, Алехин видел цель игры в научных и художественных достижениях, которые ставят шахматы вровень с другими искусствами. Но, как всякий гений, он стремился к гармонии и мере, отнюдь не предлагая полностью заменить расчетливость фантазией, но стараясь уравновешивать одно другим. Его стиль характеризуется именно борьбой расчетливости с фантазией и фантазии с расчетливостью. Избыток как одного, так и другого он считал вредным и разрушительным. Эти качества влекут шахматиста совершенно в противоположных направлениях, а потому, по утверждению Алехина, «должны быть приведены в гармонию рассудочным здравым смыслом». И хотя он сетовал, что в его собственном случае фантазия действует более интенсивно и более властно, чем расчетливость, он сумел ее укротить и прийти к гармонии, необходимой для творчества и сопутствующей гению.

Пока шли рассуждения о «ничейной смерти» шахмат, вдруг появился Алехин с блестящими, оригинальными композициями, опровергая практикой теорию и доказывая, сколько еще возможностей и тайн хранят шахматы. Даже в упрощенных позициях он являл неожиданные идеи, тем самым раздвигая границы теории и оживляя умирающую, казалось бы, игру.

Настоящее страдание испытывал он, сталкиваясь с иным, отличным от своего подходом, с иным отношением к шахматам, когда его собственная фантазия оказывалась скованной фантазией противника, не слишком заботившегося о красоте партии, о создании подлинного произведения. «Я был бы счастлив, — уверял Алехин, — творить один, без необходимости, как это случается в партии, сообразовывать свой план с планом противника, чтобы достичь чего-нибудь, представляющего ценность». Но играть приходилось с разными людьми, проявляя интуицию и фантазию, создавая на шестидесяти четырех белых и черных квадратах все новые произведения шахматного искусства, опровергая исчерпаемость и ограниченность шахмат, доказывая зависимость шахматного развития только от человеческого гения. Таким и вошел он в историю мировых шахмат.

В шахматных кругах не раз предпринимались попытки назвать лучшего шахматиста за всю историю шахмат. Для этого проводились опросы гроссмейстеров и любителей, сравнивались качество, стиль игры, спортивные достижения и вклад в развитие шахматного искусства и шахматной мысли. И вот, неоднократно величайшим шахматистом был назван Александр Алехин. В 1929 г. опрос редакторов шахматных изданий Европы и Америки показал: первое место в десятке сильнейших шахматистов мира занял Алехин. В 1970 г. участников международного матча в Белграде попросили ответить на тот же вопрос. Ответ был таким же. В 1991 г. югославский гроссмейстер М. Матулович провел исследование с целью назвать лучшего игрока, чемпиона всех времен и народов. Матулович рассматривал по двадцать партий разных игроков, обращая внимание на матчи за звание чемпиона мира, отборочные матчи за право играть с чемпионом, победы в крупнейших международных соревнованиях, баллы и рейтинг. Первое место по результатам работы Матуловича занял Алехин, за ним расположился Капабланка, третье место досталось Эм. Ласкеру. Сам Матулович назвал Алехина «гениальным в комбинациях, родоначальником игры, которая держала публику в не меньшем напряжении и удовольствии, чем футбольный матч».

Современники Алехина, его противники за шахматным столом, не всегда симпатизирующие ему в жизни, единодушны в оценке его мастерства и таланта. С Капабланкой Алехин подружился в юные годы, но со временем отношения двух гроссмейстеров испортились настолько, что, по воспоминаниям жены Капабланки Ольги Евгеньевны, первые слова, услышанные ею от мужа, когда она приехала в Ноттингем в 1936 г., были: «Я ненавижу Алехина». В одном из писем Капабланка уверял, что может порассказать об Алехине «такие вещи, что, если это правда, вы с трудом сможете в них поверить». Но несмотря на возросшую неприязнь, Капабланка держался того мнения, что Алехин «...по общему развитию значительно превышает уровень среднего человека. По-видимому, он обладает наиболее замечательной шахматной памятью, какая имела когда-либо место в действительности. Говорят, что он помнит наизусть все партии, игранные за последние 25—30 лет клубными игроками первой категории или маэстро. Одно не подлежит сомнению, что все партии, когда-либо игранные первоклассными маэстро, он действительно знает наизусть. <...> В так называемых сеансах одновременной игры не глядя на доску, Алехин не имеет себе равных среди мастеров прошлого и настоящего. <...> Подражать ему в этой области абсолютно невозможно. Для этого нужно иметь его изумительную шахматную память в соединении с колоссальной способностью к мозговой работе в области шахмат. <...> Ни у кого из маэстро нет, пожалуй, такой законченности во всех стадиях игры, как у Алехина».

А вот мнения об Алехине других гроссмейстеров.

Эм. Ласкер: «Алехин вырос из комбинации, он влюблен в нее. Все стратегическое для него только подготовка, почти необходимое зло. Ошеломляющий удар, неожиданные pointes[1] — вот его стихия».

С. Тартаковер: «И если Морфи был поэтом шахмат, Стейниц — бойцом, Ласкер — философом, Капабланка — чудо-механиком, то Алехин, согласно русскому вечно мятежному и самобичующему духу, все больше сказывается как искатель шахматной правды. <...> У Капабланки титул, у Ласкера результаты, но только у Алехина стиль настоящего чемпиона мира».

Р. Рети: «Алехин по натуре также художник, но он обуздывает свою фантазию острым интеллектом. Он ищет победы не ради победы, но как доказательство истинности своих идей. Он идет сознательно по тому пути, по которому хочет идти, по пути познания и совершенствования».

М. Эйве: «Когда я думаю о том, какие творческие идеи вкладывал подчас Алехин в доигрываемые позиции, какие неожиданные пути он находил, я проникаюсь величайшим восхищением перед мастерством Алехина».

---

[1] Пуанта комбинации (*франц.* pointe) — самый тонкий и скрытый ход (вершина, «гвоздь») комбинации в этюде. В этом же смысле термин используется в практической партии.

М. М. Ботвинник: «Безусловно, силой Алехина было удачное сочетание практического и творческого элементов, но Алехин дорог шахматному миру главным образом как художник. Он блестяще владел техникой шахмат — ведь без техники и мастерство невозможно. Глубина планов, далекий расчет, неистощимая выдумка характерны для Алехина. Однако главной его силой, развивающейся год от года, было комбинационное зрение: он видел комбинации, рассчитывал форсированные варианты с жертвами с большой легкостью и точностью. <...> Многие шахматные произведения Александра Алехина, крупнейшего шахматного художника недавнего прошлого, будут жить века. Разыгрывая алехинские партии, шахматисты грядущих поколений будут получать истинное эстетическое удовольствие и удивляться мощи его гения».

Г. Я. Левенфиш: «На мой взгляд, Алехин является феноменом, единственным в истории шахмат».

Сам Алехин говорил, что всего в своей жизни сыграл около 3000 серьезных партий с часами. В матчах и турнирах он сыграл 1272 партии, выиграв 741 и сведя к ничьей 127 партий. Он принял участие в 88 турнирах, в 63 из которых получил первый приз. Из 24 матчей, в том числе 5 на звание чемпиона мира, выиграл 18, а 4 сыграл вничью. Многие из партий, сыгранных Александром Алехиным, отмечались специальными призами за красоту.

Вполне вероятно, что в свое время Эм. Ласкер и Капабланка были правы, предсказывая шахматам скорую смерть и вырождение. Но никто из них не мог тогда предугадать, что именно Алехину суждено оживить древнюю игру и указать на богатство ее возможностей. С. Флор уподоблял историю международных шахматных соревнований полноводной реке, которая у истоков «была едва заметным маленьким ручейком». Сравнивая место и значение шахмат в XX и XXI вв., можно утверждать, что именно благодаря Алехину, его школе, его примеру и его личности интерес самой широкой публики к шахматам в XX в. оставался неизменно и небывало высоким. Да, конечно, в СССР, США, а также в некоторых странах Европы шахматы имели всестороннюю поддержку, вплоть до государственной. Но не будь Алехина с его удивительной и неподражаемой игрой, с его харизмой и обаянием, с его умением превращать каждую шахматную партию в произведение искусства, в захватывающее действо, не будь этого импульса и вдохновляющего начала — кто знает, сохранялся бы интерес к шахматам на том же уровне...

Ныне река, о которой писал Флор, заметно обмелела. Ни в одной стране уже не следят за шахматными соревнованиями с тем же волнением, с той же страстью, как еще 40 или 30 лет назад. И не потому ли, что инерция алехинского обаяния постепенно иссякла, а новый, равный ему гений, способный вдохновить мир к познанию неизученных шахматных пространств и покорению неосвоенных вершин, пока не явил себя человечеству?..

Но мы не склонны идеализировать образ нашего героя, стремясь, напротив, лучше понять мотивы многих его деяний и разобраться в противоречивой его натуре. Известно, что он был человеком сложным, и далеко не всегда поступки его, в отличие от его игры, заслуживали приза за красоту. О человеческих качествах Алехина сохранились весьма разноголосые свидетельства. «Алехин был человек неожиданностей — и в жизни, и на шахматной доске», — отзывался о нем С. Флор. А. Лилиенталь написал в книге воспоминаний, что сохранил «об Алехине впечатления самые наилучшие. Я у него часто бывал дома. Он устраивал своеобразные шахматные приемы. Независимо от того, какой шахматный ранг носил его гость, он охотно делился с ним дебютными анализами, исследовал различные позиции. Однажды в «Пале-Рояль» должен был быть интересный блиц-турнир. Я очень хотел играть, но по-прежнему мешали хронические финансовые затруднения. Узнав об этом, Алехин сделал за меня взнос. Конечно, на деньги чемпиона мира я чувствовал себя обязанным играть хорошо. Мне это удалось, и я занял первое место. Когда получив приз, я хотел вернуть Алехину долг, он ответил: «Это успеется. Вернете, когда станете мастером». М. Эйве, дважды игравший с Алехиным за титул чемпиона мира, поделился с А. А. Котовым своим восприятием русского шахматиста: «Как человек Алехин был загадкой. <...> За шахматной доской он был велик, вне шахмат, напротив, он походил на мальчишку, который напроказил и по своей наивности полагает, что его никто не видит».

Австрийский гроссмейстер Э. Грюнфельд уверял, что в личном плане Алехин был человеком очень симпатичным, более того, «пользовался всеобщей любовью, всегда готов был дать совет своим товарищам, не скупясь поделиться своими знаниями и опытом. О нем не всегда писали только хорошее, но факт, что

Алехин был отзывчивой, чуткой натурой». Британский журналист Э. Тинсли, один из сыновей шахматиста мастера С. Тинсли, отмечал, что Алехина напрасно считают «холодным отшельником». Будучи лично знаком с Алехиным, Тинсли уверял, что был «он очень общительный и дружелюбный человек». Также лично знакомый с Алехиным и даже приятельствовавший с ним Л. Д. Любимов — русский эмигрант, журналист и писатель, после войны вернувшийся в СССР — отзывался об Алехине как о человеке чрезвычайно высокого о себе мнения, уверенного, что ему открыты любые дороги. Но во Франции им почти никто не интересовался, поскольку французы в то время были равнодушны к шахматам, и популярностью Алехин не пользовался. Он жил как рядовой обыватель, «томился, завидовал, вызывал у близких даже беспокойство частыми ссылками на... Наполеона, которому, мол, не в пример «некоторым», сами события подготовили путь к славе. Одно время подумывал перебраться в США. Затем что-то оборвалось в нем, и он стал попивать. В пьяном угаре проиграл «шахматную корону» Эйве, затем, взяв себя в руки, вновь отвоевал ее, но запил снова...» Любимов вспоминал, что в речи и даже манерах Алехина всегда проглядывало какое-то раздражение. Точно что-то постоянно его томило и не устраивало, точно он был вечно недоволен собой и происходящим вокруг. Любимов считал его надломленным человеком, лишившимся с некоторых пор внутренней опоры. Наблюдение это весьма интересное, могущее многое объяснить в поступках Алехина, за которые люди, плохо знавшие шахматного короля, нередко спешили его осудить. В этой связи уместно будет вспомнить высказывание об Алехине А. Бушке из письма к Ф. Мюру, издателю и переводчику на английский язык книги об Алехине испанца П. Морана: «Бетховен, несомненно, был одним из величайших композиторов, но это не означает, что он был приятным человеком. Так почему нельзя признать, что Алехин был одним из величайших шахматистов, хотя человеком он был довольно скверным, что, я уверен, подтвердят все, кто был с ним знаком. Так для чего обелять его?..»

Мы не стремимся ни обелять, ни очернять. Наша задача — как можно лучше понять. А для этого не мешало бы познакомиться поближе с нашим героем.

ЧАСТЬ I.

ШАХМАТНЫЙ КОРОЛЬ

1
ДЕБЮТ

Александр Александрович Алехин родился 31 октября (по новому стилю) 1892 г. в Москве в семье воронежского дворянина Александра Ивановича Алехина и московской купчихи Анисьи Ивановны (в девичестве Прохоровой), дочери владельца «Товарищества Прохоровской Трехгорной Мануфактуры» (знаменитой «Трехгорки», здравствующей и по сей день) Ивана Яковлевича Прохорова. Более далекие предки Александра Алехина принадлежали к крестьянскому сословию. Так, в XVIII в. крестьяне Алехины проживали в Старооскольском уезде Курской губернии, а прапрадед шахматиста Иван Прохорович Прохоров принадлежал к монастырским крестьянам Троице-Сергиевой лавры.

Когда на свет появился будущий шахматный король, в семье Алехиных уже было двое детей — четырехлетний Алексей и трехлетняя Варвара. В то время глава семьи носил чин коллежского асессора, занимал директорскую должность в «Трехгорке», вел работу в Воронежской губернии, где владел родовым имением. Впоследствии Александр Иванович был предводителем дворянства Землянского уезда, а затем — Воронежской губернии, избирался депутатом четвертой Государственной думы.

Братья Алехины с малых лет были знакомы с шахматами. Первые шахматные уроки Александру (или Тише, как его называли дома за спокойный нрав) давала мать — Анисья Ивановна. С семи лет он увлекся шахматами, и бабушка даже подарила ему новый набор. Будущий чемпион мира играл сам с собой и днем и ночью. Так что родителям приходилось прятать шахматы. Тогда же он переболел воспалением мозга, вызванным, как предполагала впоследствии его сестра, перенапряжением детских сил.

В 1902 г. Александра Алехина отдали в Поливановскую гимназию, лучшую в то время гимназию Москвы, где учились В. С. Соловьев, Л. И. Лопатин, В. Я. Брюсов, А. Белый. Алехин учился отлично, поскольку обладал прекрасными способностями, и даже на уроках не расставался с шахматами. Тогда же, в 1902 г., девяти лет от роду он начал играть по переписке вместе со старшим братом. С 1905 г. стал играть самостоятельно и тогда же в 1905—1906 гг. получил первый приз в XVI гамбитном турнире по переписке, проводимом журналом «Шахматное обозрение». А вскоре Алехина уже причисляли к лучшим шахматистам Москвы. В 1907 г. он небезуспешно пробовал играть вслепую, чем поражал своих взрослых партнеров. Весной 1908 г. в турнире любителей шахмат Московского кружка он завоевал первый приз, а в августе того же года отправился в первое заграничное турне и в Дюссельдорфе разделил четвертое-пятое места. В 1909 г. в Санкт-Петербурге состоялся Международный шахматный конгресс памяти

М. И. Чигорина. В программу конгресса входили турниры маэстро и любителей. Алехин, игравший среди любителей, занял первое место, получив приз — роскошную вазу Императорского фарфорового завода, пожертвованную в фонд Конгресса Николаем II, а потому именовавшуюся «призом Их Императорских Величеств». И тогда же, при награждении, было объявлено о присвоении шестнадцатилетнему Алехину звания маэстро.

Турнир следовал за турниром, известность молодого шахматиста росла. В 1910 г. в Москве при гимназии П. Н. Страхова открылся шахматный кружок имени Александра Алехина. В том же году он разделил седьмой-восьмой призы Гамбургского турнира. В следующем году он снова играет в Германии, затем участвует в крупнейшем Карлсбадском турнире, на котором разделил восьмое-одиннадцатое места. Но несмотря на то, что результат был не самым высоким, второй призер турнира К. Шлехтер сказал, глядя на игру Алехина: «Это — будущий чемпион мира!»

В 1910 г. Алехин стал студентом юридического факультета Московского университета. Впрочем, проучился он недолго, поскольку рассматривал учебу в университете как подготовку к поступлению в более престижное Императорское Санкт-Петербургское училище правоведения. Выпускники училища занимали высшие государственные посты, становились дипломатами. Между правоведами и студентами Императорского Александровского лицея, также воспитывавшего элиту, молодых людей для службы в государственных учреждениях Российской империи, существовало в то время своего рода соперничество.

Поступив осенью 1911 г. в Училище правоведения, Алехин учился отлично, несмотря на активную шахматную жизнь. В июне 1912 г. он занял первое место на международном турнире в Стокгольме, а в августе — разделил шестое-седьмое места на Всероссийском турнире маэстро в Вильно. Небольшие турниры, выступления, встречи, матчи... В конце концов публика начала скучать. И после победы в августе 1913 г. в небольшом международном турнире, состоявшемся в голландском Схевенингене, Е. А. Зноско-Боровский написал в «Ниве»: «Можно порадоваться за А. А. Алехина, так уверенно идущего от успеха к успеху, и пожелать ему поскорее сменить несколько дешевые лавры, добываемые в смешанных турнирах, на более трудно достижимые, но куда более почетные — в серьезных состязаниях...»

В конце 1913 г. в Санкт-Петербург в качестве работника посольства Кубы прибыл X. Р. Капабланка-и-Граупера. Само собой, состоялись его встречи с русскими шахматистами, в том числе и с Александром Алехиным, проигравшим кубинцу, что, впрочем, не помешало подружиться молодым шахматистам. Тогда же, в конце 1913 — начале 1914 гг. Санкт-Петербургское шахматное собрание организовало ряд мероприятий: Всероссийский турнир любителей, турнир высших учебных заведений и Всероссийский турнир мастеров, победитель которого получал право участвовать в международном соревновании, намеченном на весну 1914 г.

Алехин, начав турнир с поражения, разделил в итоге первое место с А. И. Нимцовичем. В ожидании международной встречи он сыграл с Эм. Ласкером, принял участие в альтернативном сеансе в Москве, дал несколько сеансов игры вслепую. И вот наконец в апреле начался отборочный этап турнира в Санкт-Петербурге, а вскоре об Алехине уже говорили как о самом молодом финалисте. Турнир закончился победой Ласкера. Второе место досталось Капабланке, третье — Алехину, завоевавшему еще и звание гроссмейстера.

В мае 1914-го Александр Алехин окончил Училище правоведения и был зачислен в правовой отдел Министерства иностранных дел. А уже в июле того же года он появился — за два часа до начала — на 19-м Шахматном конгрессе в Мангейме. Свое опоздание и несвоевременное согласие на участие в турнире Алехин объяснил так: «Дело в том, что я готов был играть лишь в случае неучастия Капабланки. Через несколько лет собираюсь с ним играть матч на звание чемпиона мира и поэтому весьма важно создать вокруг этого вопроса определенное общественное мнение. Сегодня я играю слабее Капабланки, и при его участии он бы взял первый приз, а становиться ниже Капабланки сейчас совершенно не в моих интересах». На возражение, что чемпионом мира является Ласкер, а не Капабланка, Алехин уверенно заявил, что скоро им будет Капабланка. Надо сказать, что Алехин проявил гроссмейстерскую проницательность и дальновидность. Действительно, первый приз турнира достался ему, а Капабланка вскоре стал чемпионом. Единственное, чего не предугадал великий маэстро, так это начала Первой мировой войны, вмешавшейся в шахматную игру. Все русские участники конгресса в Мангейме, как потенциальные солдаты вражеской армии, были интернированы. Вскоре, однако, Алехина немецкая медицинская комиссия признала негодным к службе в армии, и он через Швейцарию отправился на Родину. Ботвинник в книге «У цели» пишет, что Алехину удалось обмануть медицинскую комиссию, представившись сумасшедшим. Но больше эта версия никем не подтверждается.

Путь домой из-за войны затянулся. Добираться в Россию из Германии пришлось через Базель, Геную, Лондон, Стокгольм... И даже в дороге Алехин не расставался с шахматами. В Швеции он дал сеанс одновременной игры на 24 досках, выиграв 18 партий и проиграв 2. В октябре Алехин добрался наконец до Петрограда, в ноябре уже играл в Москве и Серпухове. В декабре он снова в Петрограде, дает сеанс одновременной игры в Петроградском шахматном собрании, в шахматном кружке Политехнического института. Поступившие от сеансов деньги отправляет в помощь русским шахматистам в немецком плену. Но все же из-за войны шахматная жизнь замирает, и все, что остается гроссмейстеру — небольшие турниры и сеансы одновременной игры, скорее разминка, нежели новые достижения.

В 1916 г. он принял приглашение Одесского шахматного клуба и отправился в Одессу, после чего — в Киев. В апреле — мае он провел сеансы одновременной игры, альтернативные сеансы, показательные встречи, играл вслепую, и повсюду был очень тепло встречен. Сбор от выступлений снова был передан в помощь пленным русским шахматистам. К этому времени Александр Алехин, не годный к военной службе, уже стал сотрудником одного из комитетов

Земгора — Комитета по оказанию помощи одеждой и всем необходимым больным и раненым воинам, увольняемым на Родину. В «Правительственном вестнике» (№ 128, 15 (28) июня 1916 г.) был опубликован «Список лиц, награжденных Высочайше установленным 24 июня 1899 года знаком Красного Креста на 10 апреля 1916 года». В этом списке значится и сотрудник комитета, титулярный советник Александр Алехин. Украинский исследователь С. Н. Ткаченко предположил, что в Одессу Алехин приехал по линии Земгора, имевшего специальный фонд для помощи пленным соотечественникам. Именно в этот фонд, по мнению Ткаченко, Алехин и передал заработанные игрой деньги.

Вернувшись в Москву, гроссмейстер принял решение отправиться на Галицийский фронт в качестве уполномоченного летучего отряда Красного Креста. По воспоминаниям Алехина, он был награжден орденом Святого Станислава и двумя Георгиевскими медалями; был контужен и помещен в госпиталь Тарнополя[1]. Там, в госпитале, начав выздоравливать, он сыграл знаменитую «партию с Фельдтом», облетевшую впоследствии весь мир. Здесь начинаются, пожалуй, первые странности и нестыковки в биографии шахматного короля. Принято считать, что этот самый загадочный Фельдт, которого Алехин называл то «von Feld», то «М. Feld», то «Feldt» на самом деле не кто иной, как Леон Штольценберг или Л. Штольценбергер, чью фамилию гроссмейстер, недавно перенесший контузию, не смог правильно запомнить. Однако в 1951 г.

---

[1] До 1944 г. название Тернополя.

А. Бушке написал, что «Леон Штольценберг из Детройта, который присутствовал при сеансе вслепую в монастырском госпитале в Тарнополе в 1916 году, недавно сообщил нам, что соперник, фигурирующий в книге Алехина как «Фельдт», был в действительности адвокат по имени д-р Фишер». А уже в 1978 г. американский писатель чешского происхождения У. Корн написал в книге «Наследие американских шахмат», что «Леон, работавший медиком в госпитале Тарнополя во время Первой мировой войны, исправил ошибку, восходящую к сборнику партий Алехина: партия вслепую, приводимая в ней как Алехин — фон Фельдт, на самом деле была играна против д-ра Мартина Фишера, интерна». И таким образом место австрийского военнопленного Леона Штольценберга занимает скромный интерн Мартин Фишер.

С. Н. Ткаченко обратил внимание на еще одну странность этого периода. Пытаясь восстановить более полную картину службы Алехина, Ткаченко просмотрел «Именные списки раненых и больных воинов, находящихся в госпиталях и лазаретах» за 1916 г. и не нашел упоминания о пребывании Александра Александровича Алехина в госпитале или лазарете. Более того, Ткаченко утверждает, что не встретил ни одного наградного списка, где фигурирует Алехин с двумя Георгиевскими медалями и орденом Святого Станислава. Этим орденом в 1888 г. был награжден отец гроссмейстера — Александр Иванович Алехин. Но документов о награждении Александра Александровича найти Ткаченко не удалось.

О сроках своего пребывания в госпитале гроссмейстер говорит все время по-разному. Сначала речь шла о нескольких неделях, потом о месяце, но спустя годы он писал уже о месяцах, проведенных в госпитале. Из книги Ю. Н. Шабурова «Алехин» (серия ЖЗЛ) явствует, что гроссмейстер мог быть на Галицийском фронте в период между июнем и сентябрем 1916-го. За это время он успел получить две медали, орден и контузию, полежать в госпитале и сыграть знаменитую партию с эфемерным Фельдтом. И это при том, что документов о награждении и пребывании в госпитале найти не получилось. Путаница усугубляется еще и наличием этого Фельдта — Штольценберга — Фишера. Ведь если Алехин не был в госпитале, то кто такой этот Мартин Фишер? Кроме того, известно, что в те же годы в Красном Кресте служили, например, К. Г. Паустовский или С. А. Есенин. Но и о том, и о другом остались воспоминания. Паустовский так и вовсе подробно описал свою службу в «Книге о жизни». И только Александр Алехин не оставил никаких следов своего пребывания на войне. Кроме противоречивых рассказов самого гроссмейстера, нет никаких точных указаний на его участие в боевых действиях. И так ли уж неправ Ткаченко, предположив, что Александр Александрович «чуток приукрасил свои фронтовые подвиги и ранения, что вполне объяснимо и понятно. Теперь он смело мог смотреть в глаза москвичам, ибо и он хлебнул фронтового лиха, и даже рисковал жизнью, спасая раненых...» Если это действительно так, то нужно отметить особенность Алехина вести себя в жизни как за шахматной доской, создавая хитроумные комбинации и продумывая свои действия на несколько шагов вперед.

К сожалению, стоит признать, что некоторые вопросы навсегда останутся без ответов.

Как бы то ни было, но в сентябре 1916 г. Алехин уже в Москве и приглашен в Московский шахматный кружок для проведения сеанса одновременной игры. В октябре его снова встречает Одесса, где маэстро играет вслепую на 9 досках, одержав абсолютную победу. Затем были партии в Москве, Петрограде; и вот, 8 февраля 1917 г. Алехин выигрывает в Москве у А. И. Рабиновича в 28 ходов. Это была последняя партия, сыгранная Алехиным в царской России. Следующая заметная партия состоялась уже в России советской.

Шахматная жизнь возобновилась примерно в мае 1918 г., когда в Москве прошел матч-турнир между Алехиным, Ненароковым и Рабиновичем, закончившийся победой Алехина. А в конце мая архангельская газета «Северный путь» сообщила читателям, что в их город приехал знаменитый гроссмейстер Алехин, который в шахматном клубе дал сеанс одновременной игры на 17 досках, прочитал лекцию и провел еще один сеанс — уже на 31 доске. Осенью того же года Алехин отправился на юг России, вновь посетить Киев и Одессу. Может показаться странным такое рискованное путешествие в разгар смуты. Но Алехина влекли не кафе и варьете — новоявленное Одесское шахматное собрание наметило на декабрь 1918 г. проведение в городе Всеукраинского турнира с участием сильнейших местных игроков и приглашенных гостей. И хотя в афише турнира имя Алехина не упоминалось, его приезд в Одессу был немедленно отмечен местной прессой.

С пребыванием в Одессе связана вторая странность в биографии Алехина. Допустим, что маэстро не побоялся проехать через полыхающую страну ради турнира. Хотя стоит отметить, что участие такой величины, как Алехин, в турнире, организованном в пору Гражданской войны студенческим шахматным кружком, может быть объяснено только добротой гроссмейстера. При всем уважении к местным шахматистам, едва ли этот турнир мог представлять для Алехина профессиональный интерес, из-за которого стоит рисковать жизнью. Но если вспомнить, что в Москве в ту пору было весьма холодно и голодно, то есть буквально не хватало дров и еды, а заработки и вовсе отсутствовали, то можно понять желание покинуть столицу и переместиться к югу, где гораздо теплее и сытнее и, к тому же, можно заработать, участвуя в турнире или просто играя на денежную ставку.

Однако турнир откладывался, и Алехину в самом деле приходилось добывать себе хлеб насущный легкими партиями. К весне 1919-го стало понятно, что турнир не состоится и пора думать о средствах для возвращения домой — в Москву. А в скором времени Одессу заняли части Красной армии, и в апреле 1919 г. Алехин был арестован Одесской ГубЧК. Во время шахматного поединка в помещении Офицерского собрания вдруг появился человек в кожаной куртке и предъявил документ с печатью «УССР. Одесская чрезвычайная комиссия». Человек приказал Алехину следовать за ним. На просьбу маэстро доиграть партию, представитель власти ответил согласием, после чего они отправились в здание ЧК, где был оформлен арест, а шахматиста препроводили в тюрьму.

О причинах ареста, о том, как удалось гроссмейстеру избежать расстрела, слагаются легенды и мифы. К отечественным мифотворцам присоединили свои голоса и зарубежные. Так, например, родилась версия о том, что в одесской тюрьме Алехина посетил председатель Реввоенсовета Л. Д. Троцкий, который тут же, в тюремной камере, уселся за шахматную доску, а проиграв, велел освободить Алехина. Кстати, уже после смерти чемпиона мира португальский журналист А. Портела расскажет своим читателям, как Алехин играл «в Зимнем дворце в Петрограде с царем Всея Руси». Видимо, читателя легче заинтриговать рассказами о поединках с сильными мира сего. Но нам придется кого-то разочаровать, поскольку ни с царем Всея Руси в петроградском Зимнем дворце, ни тем более с Троцким в одесской тюрьме Алехин не играл. Хотя бы потому, что в 1919 г. Троцкий не бывал в Одессе.

Известно, что арест Алехина был связан с анонимным письмом, обвинившим гроссмейстера в антисоветской деятельности. По поводу этой деятельности тоже существуют разные версии. Например, что в номере гостиницы, где поселился Алехин, жил до него некий английский разведчик-шпион, устроивший в комнате тайник. Каким-то образом чекисты вышли на тайник и сочли Алехина причастным к злополучным находкам.

Интересную версию предложил С. Н. Ткаченко, обнаруживший в газете «Одесские новости» от 7 декабря 1918 г. следующее сообщение: «Среди зрителей находился проживающий сейчас в Одессе председатель Петроградского шахматного собрания Б. Е. Малютин, который выразил согласие дать на будущей неделе сеанс одновременной игры без доски. Такой же сеанс будет дан и А. А. Алехиным. Возможно также такое устройство сеанса одновременной игры наизусть, в котором господа Алехин и Малютин будут делать ходы по очереди, не советуясь друг с другом. Этот вид игры представляет совершенную новость: до сих пор никто из маэстро никогда не играл на таких исключительно трудных условиях». А вот сообщение из той же газеты за 1 декабря 1918 г.: «Находящийся сейчас в Одессе председатель Петроградского шахматного собрания Б. Е. Малютин попал к нам проездом из Ясс, где он принимал участие в качестве секретаря в работах Ясского совещания...» То есть Алехин связан с Малютиным, прибывшим с Ясского совещания. Что же такое Ясское совещание? Это встреча, проходившая в Яссах с 16-го по 23 ноября 1918 г., в которой участвовали российские политические деятели, не признававшие советскую власть, с одной стороны, и представители стран Антанты — с другой. На встрече обсуждалась программа действий по ликвидации советской власти. Явившись из Ясс в Одессу, российские участники совещания поселились в гостинице «Лондонская», где проживал и Алехин.

Стоит ли удивляться, что Алехина, замеченного в обществе врагов советской власти, обвинили в антисоветской деятельности? Впрочем, быть может, письмо, как предполагает Ю. Н. Шабуров, было отправлено в ЧК неким завистником. Сам Алехин в интервью корреспонденту эмигрантской газеты

«Новая заря» (Сан-Франциско) так описал свое пребывание в одесской тюрьме: «Я уехал за границу из Советской России в 1921 году. В России в момент владычества большевиков я прожил около трех лет и должен сказать, что мне пришлось вести там свое существование в чрезвычайно тяжелых условиях. Сначала они меня не трогали. Я был инструктором шахматной игры, занимался переводами с русского языка на английский и другими случайными работами. Наконец, в бытность мою в Одессе я был арестован большевиками и заключен в подвалы чека. Большевики нашли у меня какую-то иностранную переписку, и это было достаточным поводом для предъявления мне обвинения в шпионаже в пользу Антанты. <...> В отношении меня пришло предписание из Москвы расстрелять меня только в том случае, если будут обнаружены серьезные и действительные улики. Таковых в конце концов не оказалось, и я был выпущен на свободу». В интервью, которое вышло 14 мая 1929 г., Алехин нисколько не преувеличивает. Жизнь в первые годы советской власти действительно была непростой, в тяжелых условиях оказался не только Александр Алехин. И любой человек в те тревожные времена мог попасть под угрозу расстрела, если бы только у него нашли иностранную переписку или любые другие намеки на связи с врагом. Точно так же дело обстояло и по другую сторону баррикад — заподозренный в сношениях с «красными» был бы немедленно казнен. Поэтому Алехин совершенно не оригинален и абсолютно правдив, делясь своими впечатлениями о временах Гражданской войны.

Есть и другая версия, гласящая, что спас Алехина от расстрела одесский шахматист Я. С. Вильнер, служивший в ревтрибунале. Вильнер узнал о приговоре за несколько часов до приведения в исполнение и дал телеграмму председателю Украинского Совнаркома Х. Г. Раковскому, немедленно позвонившему в ГубЧК. Алехин в ту же ночь был освобожден. И тогда же, в апреле 1919 г. его приняли на работу, по одним данным, в инотдел Одесского Губисполкома, а по другим — в комиссию по выдаче разрешений на выезд за границу при ГубЧК. Во всяком случае, на это указал в своих воспоминаниях, написанных в эмиграции, известный в свое время российский юрист и общественный деятель О. О. Грузенберг.

В июле все-таки пришлось собираться в Москву — к Одессе подходили деникинские войска, а испытывать на себе судьбу еще раз, проверяя, как отнесутся белые офицеры к служащему губернского исполнительного комитета, Алехину вряд ли хотелось. В августе он поселился в Москве, в Леонтьевском переулке, а с 1 сентября приступил к занятиям в 1-й Государственной школе кинематографии. Понемногу восстанавливалась и шахматная жизнь. Но в декабре 1919 г. он оставил школу и отправился в Харьков для работы в Военно-санитарном управлении Харьковского округа. В Харькове он перенес сыпной тиф, а поправившись, несколько раз ездил в Москву с отчетами, пока наконец в мае 1920 г. не был окончательно переведен в столицу. До февраля 1921 г. Алехин, юрист по образованию, работал следователем Центрального следственно-розыскного управления Главного управления милиции — Центророзыска. К этому периоду относится эпизод, приведенный в книге И. Ф. Крылова и А. И. Бастрыкина «Розыск, дознание, следствие» и характеризующий память маэстро.

Как-то раз Алехин услышал разговор дежурного управления с задержанным, назвавшим себя Иваном Тихоновичем Бодровым.

— Как вы сказали, ваша фамилия? — вмешался Алехин.

— Бодров, — повторил тот. — А что?

— Вы не Бодров, а Орлов, — ответил Алехин. — И не Иван Тихонович, а Иван Тимофеевич.

— На пушку берете, начальник. Не на того напали!

— Пару лет назад в военкомате, где я вас впервые встретил, вы представились Иваном Тимофеевичем Орловым, — сказал Алехин. — Вы готовились к медицинскому осмотру, на груди у вас висел золоченый крестик на тонкой цепочке из белого металла, а под ним была небольшая родинка.

У задержанного и в самом деле оказалась родинка и крестик на цепочке, а в скором времени было установлено, что это действительно Орлов — сбежавший из заключения рецидивист.

Одновременно с Центророзыском Алехин с 15 марта 1920 г. работал переводчиком в Коминтерне. При заполнении анкеты Алехин указал о себе, что владеет французским, немецким и английским языками, женат и от службы в армии освобожден по болезни сердца. На этот диагноз стоит обратить особое внимание — он кое-что прояснит в дальнейшем. В марте 1920 г. Алехину шел 28-й год, а шесть лет назад, когда началась Первая мировая война, гроссмейстеру не исполнилось и 22. Немецкая медицинская комиссия, скорее всего, признала Алехина негодным к службе по той же причине. То есть с молодых лет он имел не вполне здоровое сердце.

Что касается второго пункта анкеты, следует уточнить, что 5 марта 1920 г. в Москве был зарегистрирован брак между Александром Александровичем Алехиным и Александрой Лазаревной Батаевой, вдовой. Кстати, в упоминавшейся выше газете «Правительственный вестник», в заметке о награждении знаком Красного Креста, наряду с Александром Алехиным упоминается некая Александра Батаева, жена присяжного поверенного. Вполне возможно, что это и есть будущая супруга Алехина, знакомая с ним еще по Земгору. Однако брак их продлился недолго. И ровно через год, 15 марта 1921 г. Алехин женился повторно — на 42-летней швейцарской журналистке Анне-Лизе Рюэгг, девице, с которой познакомился во время ее командировки в Россию. Зимой 1920/21 г. Алехин и Рюэгг принимали участие в поездке гостей и делегатов Коминтерна по городам России, включая Урал и Сибирь.

По прошествии месяца после второй свадьбы, в апреле 1921 г. Наркомат иностранных дел выдал Алехину документ следующего содержания: «Народный комиссариат иностранных дел не встречает препятствий к проезду в Латвию через Себеж гражданина Алехина Александра Александровича, что подписью и приложением руки удостоверяется. Заместитель Народного Комиссара — Карахан. № 01139— 29 IV — 21 года».

В мае 1921 г. Александр Алехин, потерявший уже к тому времени обоих родителей, был с новой супругой в Риге. С собой он привез несколько чемоданов вещей, среди которых была и та самая ваза, Высочайше пожалованная ему как победителю турнира в Санкт-Петербурге в 1909 г.

Обратим внимание, что разрешение на выезд было получено в Латвию. Но если бы гроссмейстер действительно собирался съездить в соседнюю Латвию и вернуться обратно, едва ли он повез бы с собой огромную фарфоровую вазу. А это значит, что решение покинуть страну было в тот момент вполне осознанным и продуманным. Его отъезд интересен не сам по себе — мотивы отъезда проливают свет на личность Алехина и помогают объяснить другие его поступки, а также правильно оценить утверждения отдельных недобросовестных исследователей. Дело в том, что среди заграничных выступлений и публикаций Алехина так и не нашлось безусловных и неопровержимых его высказываний против Советской России. Поэтому утверждать, что Алехин покинул Родину, будучи убежденным монархистом, антисоветчиком и кем-то там еще, нельзя по причине безосновательности таких утверждений. Кстати, на то, что монархистом Алехин не был, указывает анкета, заполненная гроссмейстером при вступлении во французскую масонскую ложу «Астрея» в 1928 г. В отчете одного из руководителей ложи Н. Тесленко, написанном на основании сказанного Алехиным, говорится, что гроссмейстер накануне революции 1917 г. определенных политических убеждений не имел. От Октябрьской революции ждал обновления, но постепенно разочаровался, убедившись, что существует огромная разница между идеями и действительной жизнью.

Ко времени вступления в ложу в возможность и эффективность монархии не верил и был сторонником демократического строя. Масоны-эмигранты описаны в романе М. А. Осоргина «Вольный каменщик» как люди, пытающиеся найти хоть какую-нибудь духовную опору и смысл в существовании. О том же поведал и Алехин, заявив, что вступает в ложу, «тяготясь духовным одиночеством».

Еще до вступления в ложу Алехин сам отчасти объяснил, почему принял решение об отъезде из России. Так, отвечая на вопросы анкеты австрийского журнала «Wiener Schachzeitung» в 1926 г., Алехин сказал: «Цель человеческой жизни и смысл счастья заключаются в том, чтобы дать максимум того, что человек может дать. И так как я, так сказать, бессознательно почувствовал, что наибольших достижений я могу добиться в шахматах, — я стал шахматным маэстро. Все же я должен отметить и подчеркнуть, что профессионалом я стал лишь после отъезда из России и что я намереваюсь продолжать работу на юридическом поприще». В 1928 г., уже после матча с Капабланкой за чемпионский титул, Алехин заявил французским журналистам: «Францию я люблю за оказанное русским гостеприимство и за то, что она дала мне возможность оправиться после пережитого в России лихолетья. Я получил свое шахматное развитие в России, но пребывание во Франции способствовало мне в получении звания чемпиона мира, чем я, прежде всего, горжусь, как русский». Следуют ли из этих высказываний какие-то политические утверждения? Можно ли понять слова Алехина как выражение политических убеждений или некоего кредо? Нет, потому что речь совсем о другом. И в момент своего отъезда, и спустя пять лет Алехин не верил, что, оставшись в Советской России, сможет: а) стать чемпионом мира по шахматам, то есть воплотить в жизнь свою заветную мечту; и б) сделать карьеру юриста. Не верил прежде всего потому, что не видел условий ни для того, ни для другого. Когда-то он работал в правовом отделе Министерства иностранных дел, а стал следователем Центро-розыска. Когда-то получал первые призы на международных турнирах, а что теперь?.. Да, шахматная жизнь в первые годы советской власти хоть и начала восстанавливаться — в Москве открылся новый шахматный клуб, прошла Всероссийская шахматная Олимпиада, — но все это пока находилось в стороне от мировых шахмат, от соревнований лучших мастеров планеты, все это пока напоминало разбор руин. И кто скажет, когда завершится разбор и начнется строительство нового здания? А чемпионом мира хочется быть теперь, не дожидаясь, когда поднимется экономика молодой республики, прекратится голод и восстановятся отношения с другими странами, когда возродится шахматная активность в родной стране, а с советскими шахматистами будут считаться во всем мире. Да и будет ли все это? Быть может, все образуется, но к тому времени гроссмейстер Алехин окажется не в той форме, да и не в том возрасте, когда можно побороться за чемпионскую корону. Так неужели все зря? Неужели его судьба — зарыть свой талант в землю?..

Вернемся к воспоминаниям Л. Д. Любимова: Алехин явился за границу с намерением стать шахматным королем и вершителем судеб. Его отъезд из России был очередным гроссмейстерским ходом в игре с судьбой, нацеленным на полную реализацию своих природных возможностей. Гениальный шахматист, человек выдающихся способностей — он был умнее, образованнее, сильнее, да просто на голову выше окружавших его людей и сам прекрасно осознавал это. Он верил, что может быть лучшим не только в шахматах. Зачем такая одаренность, если нельзя стать лучшим, признанным во всем мире?

Но обратим внимание на еще одну фразу, сказанную Алехиным французским журналистам: он благодарен Франции и даже признается в любви к ней за то, что она дала ему «возможность оправиться после пережитого в России лихолетья». Не исключено, что в этом случае он имеет в виду не общее для всех лихолетье, не хаос и разруху Гражданской войны и последующих лет, а то, что пришлось пережить и чего натерпеться лично ему. Ведь общение Алехина с советскими органами безопасности не ограничилось одесской тюрьмой. 21 февраля 1921 г. Алехин был вызван для дачи показаний в ВЧК, которая, как выяснилось, 16 ноября 1920 г. завела на Алехина дело № 228. А началось все с телеграммы из Одессы: «У тов. Лациса от тов. Тарасова получена была подлинная расписка шахматиста Алехина от деникинской контрразведки в бытность его в Одессе на сумму около 100 000 рублей. Адрес Алехина полтора месяца назад: Тверская ул., Гостиница «Люкс», Москва. В прошлом году он выехал из Одессы сюда. В настоящее время в Москве следователь Уголовно-Следственной комисс. Живет на 5—6 этаже. Приметы: выше среднего роста, худой, очень нервный, походка нервная, лет 30—34, найти можно через Клуб шахматистов. Сообщил бывший председатель ГЧК Одессы». Началось разбирательство, для чего Алехина и вызвали на допрос. Но после того, как он подробно в письменной форме ответил на все предложенные вопросы, его отпустили. В 1938 г. дело № 228 снова достали — то ли ввиду намечавшегося матча Ботвинника с Алехиным, то ли с связи с процессами внутри НКВД — в 1938-м, например, был расстрелян Лацис; возможно, из-за Лациса вспомнили и об Алехине. 25 сентября 1938 г. капитан государственной безопасности Федотов и старший лейтенант государственной безопасности Краев направили дело Алехина в 3-й отдел I управления НКВД. На что получили ответ: «Возвращаю. Непонятно для чего эту переписку послали в 3-й отдел?» После чего дело № 228 ушло в архив и было заинвентаризировано под номером р28167.

На допросе в 1921 г. Алехин заявил, что никаких денег не получал, а с товарищами Лацисом и Тарасовым не знаком. Но кроме того он указал, что «с октября 1918 по апрель 1919 г. (перехода Одессы в руки Советской власти) находился с ведома тов. Мануильского в Одессе, жил на шахматные сеансы, шахм. игру в кафе Робина, закладывал кое-какие свои вещи и проч. Нигде не работал». Кстати, здесь же он написал, что «с апреля 1919 работал в Инотделе Одесского Губисполкома», что опровергает утверждения О. О. Грузенберга, вспоминавшего, будто Алехин служил в Одесской ГубЧК. Ведь на допросе в Москве Алехину было бы даже выгодно представиться сослуживцем своих визави. Однако он этого не сделал и, скорее всего, потому, что такое заявление не соответствовало бы действительности. Но тот факт, что в Одессе он нуждался в деньгах, гроссмейстер подтвердил. Вспомним, что в ожидании несостоявшегося турнира Алехин поддерживал отношения с Малютиным, явившимся в Одессу прямиком с совещания в Яссах. Там же, в Одессе, появлялись и другие деятели антисоветского движения — например, В. В. Шульгин, в то время руководивший одной из разведывательных структур Добровольческой армии под названием «Азбука» и знававший когда-то отца Алехина — Александра Ивановича, избиравшегося, как и Шульгин, в IV Думу. В 1920 г. «Азбука» в Одессе была ликвидирована, а Шульгин едва успел покинуть город и переправиться в Крым.

Если предположить, что нуждавшийся и вынужденный закладывать вещи Алехин, общавшийся с антибольшевистскими деятелями, мог одолжить у них денег, то неудивительно, что его расписка или расписки где-то проявились. Так, разгромив одесское отделение «Азбуки», чекисты могли захватить ее архив, где среди прочих бумаг хранились и расписки. Конечно, это только предположения. Но после посещения ВЧК 21 февраля, Александр Алехин развелся с Батаевой и уже 15 марта женился на Рюэгг. 23 апреля он получил разрешение на выезд за границу и 11 мая был уже в Риге. На развод, женитьбу, получение разрешения и отъезд ушло меньше трех месяцев. И несмотря на то, что иные исследователи настаивают, что брак с Анной-Лизой Рюэгг был заключен по любви, доказательством чему якобы служит рождение в этом браке сына Александра, отмахнуться от очевидной спешки Алехина и, как следствие, отношения к браку с Рюэгг как фиктивному невозможно. Кстати, Гвендолина Изнар — дочь третьей жены Алехина, Надежды Васильевой, утверждала, что к Анне-Лизе и сыну Александру гроссмейстер относился совершенно безразлично, и если бы не помощь Васильевой, им пришлось бы туго.

Спешка наталкивает на мысль, что гроссмейстер не просто боялся очередного вызова на Лубянку, а хорошо знал, что в следующий раз ему могут и не поверить на слово. Особенно в том случае, если из Одессы пришлют ту самую подлинную расписку.

Получение денег от вражеской стороны — преступление, карающееся в любом государстве, причем преступление, оправдаться за которое не так-то просто. И подтвердись такой факт в случае с Алехиным, вся его дальнейшая карьера — как юридическая, так и шахматная — на этом бы и закончилась. Однако утверждать, что он получал деньги от Шульгина или кого бы то ни было еще, мы не можем. Не исключено, что это память об одесской тюрьме вынудила его избегать дальнейшего общения с органами безопасности. Как бы то ни было, выбор был сделан. Дома ждала неизвестность и, возможно, неприятности. За пределами Отечества он надеялся начать новую жизнь — завоевать шахматную корону и продвинуться на юридическом поприще. Тем более 28 апреля 1921 г. в Гаване состоялся матч на первенство мира между Эм. Ласкером и Капабланкой. Новым чемпионом мира стал молодой кубинец. И Алехин, давно предсказавший такое развитие событий, бросился навстречу своей мечте.

2
МИТТЕЛЬШПИЛЬ

Прибыв в Ригу 11 мая, уже 13-го, а затем 20-го он провел во Втором шахматном обществе сеансы одновременной игры, выиграв 54 партии и проиграв 2. Из Риги супруги отправились в Берлин, где Алехин буквально набросился на шахматы: матч с Р. Тейхманом, показательные партии с Ф. Земишем. Одновременно он написал и выпустил книгу «Шахматная жизнь в Советской России» с приложением двенадцати партий, сыгранных в 1918—1920 гг.

В июле он выигрывает турнир в Триберге, в сентябре — в Будапеште, в октябре — в Гааге. В апреле 1922 он разделил второй и третий призы на турнире в Пьештяне и там же получил первый приз за самую красивую партию. Кроме турниров он ездит с гастролями по всей Европе, пишет статьи и комментарии для самых разных шахматных журналов. В мае 1922-го на открытии в Праге шахматного клуба «Алехин» он дает сеанс одновременной игры вслепую на 12 досках, выигрывая 10 партий и 2 сыграв вничью.

Летом в Лондоне проводился 17-й Конгресс Шахматного союза, в программу которого, среди прочего, входил и турнир ведущих мастеров. Алехин занял второе место, уступив только Капабланке. К этому времени Алехин уже успел вызвать кубинца на матч за первенство мира, но Капабланка, десять лет ждавший возможности сыграть с Эм. Ласкером, не торопился принимать вызов. На Лондонском конгрессе Капабланка предложил подписать соглашение, регламентирующее условия проведения матчей на первенство мира по шахматам среди мужчин. Документ, который кроме Капабланки подписали Алехин, Боголюбов, Видмар и Рубинштейн, содержал 22 пункта. Помимо правил игры, соглашение прописывало и финансовые условия, на которых чемпион обязывался принять вызов. Речь шла о наличии призового фонда не менее 10 тысяч долларов США. При этом из общей суммы призового фонда чемпиону полагалось получить 20% в виде гонорара за участие в матче, из остающейся суммы победитель получал 60%, проигравший — 40%. По тем временам деньги были немалые, и собрать их оказалось не всем под силу.

Но пока Алехин без перерыва играл: турниры, гастроли, сеансы одновременной игры...

С 1923 г. он обосновался в Париже. И не только потому, что Париж был центром русской эмиграции. В декабре 1921 г. на балу прессы в залах гостиницы «Лютеция» он познакомился с Надеждой Васильевой, вдовой русского генерала. Надежда Семеновна была старше Алехина на 19 лет — некоторые исследователи утверждают, что Васильева родилась в 1884 г., но ее дочь Гвендолина Изнар называла другой год рождения — 1873-й. Только в 1926 г. Алехин развелся с бедняжкой Анной-Лизой, в 1927-м получил французское гражданство, а в 1928-м официально женился на Васильевой. Забегая вперед, скажем, что и этот брак продлился недолго — Алехин снова «пожертвовал фигуру», — но, по свидетельству людей, знавших в то время гроссмейстера, период его жизни с Надеждой Васильевой был наиболее продуктивным, спокойным и обустроенным. Во многом этой женщине он обязан своими блестящими победами той поры и, в частности, победой над Капабланкой.

Но это будет потом, а пока после весеннего турнира 1923 г. в Карлсбаде, где Алехин завоевал первый приз и еще две награды за красивейшие партии, он выступал с гастролями в Чехословакии, Великобритании, после чего отправился в турне по Северной Америке, продлившееся почти полгода. За это время он провел блестящие гастрольные выступления, занял третье место в нью-йоркском турнире, установил несколько рекордов одновременной игры вслепую. В мае 1924 г. он вернулся в Европу и принялся за работу над книгами.

Участие в турнирах и выступлениях преследовало две цели — заработок и поддержку формы. Нужно отметить, что именно в эти годы, накануне матча с Капабланкой, он достиг лучшей своей формы, играя легко, быстро, с большой силой. Чемпион Германии З. Тарраш написал тогда: «Сравнение партий чемпиона мира Капабланки, игранных в Нью-Йорке, с баден-баденскими партиями Алехина с точки зрения стратегической точности, безошибочности игры и основательного ведения атаки, несомненно, в пользу Алехина. Во всяком случае, для чемпиона мира Капабланки вырос страшный соперник, усиливающийся из года в год, и едва ли долго Капабланке удастся баррикадироваться от матча с Алехиным золотым валом из 10 000 долларов...»

Энергия, целеустремленность, безукоризненность во всем, за что бы Алехин ни брался, просто поражают! Наряду с новыми рекордами и победами, он успевал работать над диссертацией на ученую степень доктора права. Работа «Система тюремного заключения в Китае» была успешно защищена в конце 1925 г. Эта защита подтверждает слова Л. Д. Любимова о том, что Алехин готовился не только играть в шахматы, но и всерьез заниматься юридической карьерой. Впрочем, британская энциклопедия The Oxford Companion to Chess утверждает, что Алехин не окончил обучение и не защитил диссертацию, но с 1925 г. стал добавлять к своей фамилии слово «доктор».

В августе 1926 г. Аргентинский шахматный союз пригласил его выступить в Буэнос-Айресе. Спустя неделю, аргентинцы заговорили о финансовой поддержке Алехину в матче с Капабланкой, то есть о преодолении того самого «золотого вала», о котором писал Тарраш. Идею выделить средства для матча поддержал президент Аргентины Альвеар. Финансовая база была сполна обеспечена, и Алехин отправил Капабланке вызов. Выступая тем временем в Латинской Америке, он сумел выиграть все турнирные и консультационные партии, проводившиеся в Аргентине. Затем отправился в Уругвай, Бразилию, где выступал с лекциями и дал десятки сеансов одновременной игры.

Едва вернувшись в Европу, Алехин провел победный матч с голландцем М. Эйве. В это время из Нью-

Для шахматной борьбы прежде всего необходимо знание человеческой натуры, понимание психологии противника.

Йорка пришло известие, что победитель нью-йоркского турнира, намеченного на весну 1927 г., будет рассматриваться первым кандидатом на матч с Капабланкой. Так постановил Организационный комитет. Алехину, прервавшему на время матч с Эйве, пришлось отстаивать свое первенство, свое уже добытое право на игру за титул чемпиона мира. Наконец после долгих переговоров с Оргкомитетом и Капабланкой согласие было достигнуто. Впрочем, по результатам турнира в Нью-Йорке Алехин занял второе место, уступив только самому Капабланке. А потому в любом случае право на матч за звание чемпиона мира оставалось за ним.

Встреча с Капабланкой была запланирована на сентябрь 1927 г. Вместе с Алехиным встречи в Буэнос-Айресе ждал весь шахматный мир. А учитывая популярность шахмат в те годы — просто весь мир. В ожидании этого события, на пути к исполнению мечты, Алехин летом 1927 г. с блеском выступил в венгерском Кечкемете и, воодушевленный новой победой, отправился за океан.

Как только не называли встречу Алехина с Капабланкой — «матчем гигантов», «титаническим матчем»... Любопытно и то, как сами титаны оценивали предстоящую встречу. Капабланка, судя по всему, пребывал в некоторой эйфории относительно самого себя и был уверен в своей победе, считая, что у Алехина нет темперамента для матчевой игры, нет духа борьбы, необходимого для таких поединков. Кроме того, по мнению Капабланки, Алехину мешало отношение к победе не как к самоцели. К тому же Капабланка воспринимал Алехина как слишком нервного соперника, неспособного к продолжительной и хладнокровной борьбе.

Совсем иной подход явил в оценке противника Алехин, подвергнувший партии Капабланки настоящему психологическому анализу. И. М. Линдер и В. И. Линдер в книге «Алехин» выражают уверенность, что в этом отношении Алехин выказал себя учеником Эм. Ласкера, подчеркивавшего, что «шахматная партия — борьба, в которой соучаствуют самые разнообразные факторы, и поэтому знание сильных сторон и слабостей противника чрезвычайно важно». Позже Алехин рассказал о том, как готовился к матчу с Капабланкой, как детально изучал будущего соперника — и не только его манеру игры на разных стадиях, но и весь жизненный путь, характер, поступки, особенно поведение в сложных и непредвиденных ситуациях. После такого тщательного анализа Алехин понял, что Капабланка не так уж и безупречен, как принято думать. Порой кубинец слишком доверяет интуиции, не перепроверяя ситуацию расчетом; со временем он потерял способность предельной концентрации; а в случаях упорного сопротивления Капабланка и вовсе теряет уверенность в себе. В этом, к слову, между русским и кубинцем была принципиальная разница: если на Капабланку неудачи действовали угнетающе, то Алехина поражения, напротив, «подстегивали», заставляя взять себя в руки и начать играть с удвоенной силой.

«Для шахматной борьбы прежде всего необходимо знание человеческой натуры, понимание психологии противника, — много позже заявил Алехин. — Раньше боролись только с фигурами, мы же боремся и с противником — с его волей, нервами, с его индивидуальными особенностями и — не в последнюю очередь — с его тщеславием».

Сочетание интуиции и расчета, присущее Алехину и в жизни, и в игре, не подвело и на этот раз. Уже в первой же партии кубинец уступил. И если в успех Алехина накануне встречи верили немногие, то после первой игры эти сомнения стали понемногу таять.

Во время игры у Алехина воспалилась надкостница, и пришлось играть, превозмогая боль и температуру, пришлось в самый разгар игры удалить шесть зубов. Но даже болезнь не смогла помешать русскому шахматисту выиграть шесть партий, против трех, выигранных Капабланкой, и отвоевать шахматную корону у непобедимого до тех пор кубинца. 29 ноября 1927 г. Капабланка не появился в зале Аргентинского шахматного клуба на улице Карлос Пеллеграни, прислав Алехину письмо: «Дорогой господин Алехин! Я сдаю партию. Следовательно, Вы — чемпион мира, и я поздравляю Вас с Вашим успехом. Мой поклон госпоже Алехиной. Искренне Ваш Х. Р. Капабланка». Алехина на руках вынесли из зала и на руках доставили к отелю.

Новость об итогах матча облетела весь мир. Газеты разных стран наперебой восхищались игрой русского гроссмейстера. В советские шахматные издания хлынули потоки писем от болельщиков и любителей, журналы и газеты размещали восторженные статьи и портреты нового чемпиона мира.

Для Алехина эта победа стала не просто личным триумфом. Он признавался, что осуществилась

Алехин понимал, что принести славу Отечеству, стать гордостью страны и народа он мог бы только в России.

его мечта, что удалось пожать плоды долгих усилий и трудов. Но кроме этого, по мнению Алехина, шла борьба двух подходов к шахматам, двух разных взглядов на шахматное будущее: безграничные возможности шахматного искусства или его никчемность и скорое исчезновение. В том, что верх одержала жизнеутверждающая линия Алехина, было указание на открытие новой страницы шахматной истории. Алехин заявил, что испытывает двойную радость: «Во-первых, от сознания, что удалось избавить шахматный мир от вредного очарования, от массового гипноза, в котором держал его человек, сделавшийся за последнее время проповедником никчемности шахматного искусства и скорого его исчезновения; затем от веры, что факт моей победы, казавшейся столь невероятной, сможет напомнить многим, что и в других областях жизни рано или поздно может свершиться то непредвиденное и казалось бы невозможное, что сплошь и рядом превращает самые смелые сны в действительность...»

Мечты, как говорится, стали явью. Новый чемпион мира наслаждался славой. Когда 18 января 1928 г. Алехин с женой прибыли в порт Барселоны, их встречали поклонники. В честь нового чемпиона мира был устроен настоящий праздник с банкетом, шахматными состязаниями и бесчисленными интервью. 27 января Алехин вернулся в Париж. Принято думать, что и тут его встретили толпы поклонников, но это было бы не совсем верно. Конечно, французские газеты написали о его победе, он раздавал интервью. Но какого-то особенного интереса французы к нему не проявляли и явно им не гордились. Л. Д. Любимов, близко общавшийся с Алехиным и, вероятно, лучше многих сумевший понять его, утверждал, что новые соотечественники Алехиным не интересовались «по той простой причине, что шахматами мало увлекаются во Франции». Алехин понимал, что принести славу Отечеству, стать гордостью страны и народа он мог бы только в России. Но именно этого он и был лишен. Оказалось, что сама по себе шахматная победа не смогла его полностью удовлетворить. Не хватало чего-то еще, что получить было сложнее, чем обыграть Капабланку. В интервью Любимову Алехин говорил: «По всему миру разнесли, будто целью моей жизни было победить Капабланку. Но шахматы не имеют для меня столь подавляющего значения. Конечно, я хотел победить Капабланку: много лет готовился к матчу с ним. Но при чем тут «цель жизни»?» Любимов был убежден, что Алехин не мог довольствоваться только шахматными победами, он желал бы выдвинуться и на другом поприще. А кроме того, он стал осознавать, что по-настоящему его могли бы оценить только дома. Ведь «для французов он оставался иностранцем, недавно принявшим французское гражданство». К тому же шахматная жизнь в СССР вышла на мировой уровень, чему подтверждением послужил хотя бы 1-й Московский Международный шахматный турнир, проходивший с ноября по декабрь 1925 г. в Москве. В турнире, к слову, приняли участие все выдающиеся шахматисты того времени, включая Капабланку, Эм. Ласкера и даже Боголюбова, жившего с 1914 г. в Германии. Не было только Алехина, наблюдавшего за турниром со стороны.

В постановлении Исполнительного бюро Всесоюзной шахматной секции от 14 декабря 1926 г., среди прочего, говорится: «Шахсекция, однако, никогда не смотрела на шахматы только как на чистое искусство — тем более, только как на спорт — и такой же строгой принципиальной выдержанности требовала от всех своих членов и организаций. Вот почему она не сочла возможным вступать в какие-либо переговоры с Алехиным об участии его в международном турнире в Москве, считая этого мастера чуждым и враждебным советской власти элементом...» Ю. Н. Шабуров выводит из этого заявления, что руководители Всесоюзной шахматной секции сами оттолкнули гроссмейстера, объявив его врагом советской власти. Однако этот вывод кажется несколько категоричным. Во-первых, речь идет не столько о политических воззрениях Алехина, сколько о его отношении к шахматам, в заявлении Шахсекции говорится именно о разных подходах, о разном отношении к шахматам. Как известно, Алехин придерживался той точки зрения, что шахматы — искусство с неисчерпаемыми возможностями, красоту игры он ставил выше чистой и техничной победы. Но в Советском Союзе шахматы стали инструментом в работе над повышением культурного уровня простого народа. Само собой, что взгляд на шахматы как на искусство был непозволительной для пролетарской культуры роскошью и, стало быть, буржуазным по сути своей. В этом смысле Алехин, как шахматист, несомненно, буржуазный, и представлялся «чуждым элементом».

Во-вторых, руководители Шахматной секции, даже всесоюзного масштаба, могли объявить кого-то врагом только в пределах своей секции. Едва ли заклеймённый Шахматной секцией человек автоматически становился врагом народа и советской власти со всеми вытекающими последствиями. Тема эмиграции и возвращения на Родину находилась в ведении отнюдь не спортивных или каких-то иных кружков и секций. Так, например, А. И. Куприн вернулся в 1937 г. на Родину по приглашению правительства СССР. А уж антисоветчиком Куприн был почище Алехина. Убедиться в этом можно, хотя бы прочитав его повесть «Купол Св. Исаакия Далматского», изданную в 1927 г. в Париже. А чего стоит его служба в 1919 г. в чине поручика в Северо-Западной армии под командованием Н. Н. Юденича? То есть Куприн воевал против советской власти с оружием в руках. И всё-таки был прощён и вернулся умирать на Родину. Стоит вспомнить и предысторию возвращения Куприна. Началось всё с обращения полпреда СССР во Франции В. П. Потёмкина к И. В. Сталину, а после полученного одобрения — к Н. И. Ежову. Затем обращение Потёмкина рассматривалось в Политбюро ЦК ВКП(б), постановившем «разрешить въезд в СССР писателю А. И. Куприну».

Да, Всесоюзная шахматная секция могла повлиять на решение СНК СССР относительно участия Алехина в Международных шахматных турнирах, проводившихся в Москве в 1925, 1935 и 1936 гг. Но объявить его врагом советской власти, которому заказан въезд в родную страну, — это было явно не под силу Шахматной секции. Если бы Алехин захотел посетить СССР или принять участие в Международных московских турнирах, он бы нашёл возможность оповестить о своем желании и СНК СССР, и Политбюро ЦК ВКП(б). Однако он этого не делал либо из гордости, либо из-за каких-то опасений. Но нельзя утверждать, что происходящее в России его не интересовало. Напротив, в воспоминаниях хорошо знавших его людей тема ностальгии Алехина звучит убедительно и настойчиво. С. Флор вспоминал, как Алехин, провожавший его из Праги в Москву в 1933 г., грустно сказал: «Вот вы едете в мой родной город, а я остаюсь...» Тоску Алехина по Родине отметил и А. Лилиенталь, тем более что Алехин не раз расспрашивал Флора и Лилиенталя об СССР, где оба побывали на международных турнирах. «Однажды мы сидели с Флором в кафе, — написал потом Лилиенталь, — туда пришел Алехин. Разговорившись с нами, он сказал, что мечтает вернуться на Родину. Он не раз заговаривал на эту тему. Это было его заветной мечтой...»

В-третьих, стоит уточнить, что постановление Исполнительного комитета Всесоюзной шахматной секции от 14 декабря 1926 г. не касалось непосредственно Алехина. На экстренном заседании бюро рассматривалось заявление Е. Д. Боголюбова об отказе от советского гражданства. Боголюбов с 1914 г. проживал в Германии вместе с семьей. Шабуров почему-то недоумевает относительно недовольства Всесоюзной шахматной секции поступком Боголюбова. «Казалось бы, понятная каждому житейская ситуация», — удивляется он. Однако не такая уж она и житейская. Дело в том, что в том же 1926 г. Боголюбов был приглашен на международный турнир в Италию. Но правительство Муссолини отказало ему в визе как гражданину

СССР. Раздосадованный этим обстоятельством Боголюбов отрекся от советского гражданства, руководствуясь исключительно личным удобством, то есть опять же вполне буржуазным мотивом, с точки зрения молодого советского государства. Живший в Германии гроссмейстер воспринимался в Союзе как свой, как соотечественник до тех пор, пока не предпочел Родине комфорт, пока не решил стать для соотчичей иностранцем ради свободного проезда в фашистскую Италию. Что же тут удивительного, если в Союзе его осудили и обиделись на него! Ничего не поделаешь: было время взаимных обид.

Сегодня большинству людей такие обиды непонятны. Но важно помнить, что понять людей другой культуры или другой эпохи можно, только усвоив их взгляд на мир, их представления о добре и зле.

Как бы то ни было, но Алехина на том заседании коснулись вскользь. А потому заявление о нежелании «вступать в какие-либо переговоры с Алехиным об участии его в международном турнире в Москве» выглядит, скорее, как приглашение в эти переговоры вступить. Ведь если человека вспоминают к месту и не к месту, значит, явно чего-то от него хотят, явно провоцируют на ответную реакцию. Еще живо было в памяти, как Алехин всего лишь пять лет назад уехал, не простившись, из России. Сказал, что поедет в Ригу, а сам исчез. Ну и что, бегать прикажете за этим обманщиком? Обиженная на Алехина Шахматная секция не желала первой идти на поклон и ждала от Алехина своеобразного покаяния. Пусть, дескать, сам придет и попросит, а первыми звать не станем.

Но Алехин тоже не хотел делать первый шаг. Любимов отмечает, что вдохновлялся Алехин по-настоящему лишь когда говорил о шахматах, «причем, если собеседник был иностранец, всегда подчеркивал, что самая высокая шахматная культура в Советском Союзе. И опять раздражался. «Вот я с вами толкую о шахматах, а ведь вы в этом ни черта не смыслите», — ясно говорил его взгляд». А ведь Алехин уехал, когда шахматными досками в Москве топили печки, когда полуголодные шахматисты встречались дома друг у друга, чтобы не потерять форму. Казалось тогда, что мировые шахматы сами по себе, а Советская Россия сама по себе. Но прошло всего лишь несколько лет, и вот уже лучшие игроки со всего мира собрались в Москве, в городе, где родился и вырос Александр Алехин.

По мнению Любимова, какое-то малодушие мешало Алехину признать «ошибочность своей разлуки с Родиной». И эта постоянная раздвоенность в конце концов надломила его. Возможно, Любимов не знал причину, по которой Алехин уехал из России — ведь дело было не только в желании помериться силой с Капабланкой и окунуться в мировой шахматный океан. Была еще странная история с ВЧК и расписками в получении денег от деникинцев. И если допустить, что Алехин действительно брал деньги — на личные нужды, конечно, а не на диверсионную деятельность, — то страх расплаты тяготел над ним и не пускал домой. Прибавим к этому и возможные обиды на Всесоюзную шахматную секцию, объявившую его «чуждым элементом».

Победа над Капабланкой вдохновила русских писателей-эмигрантов. Б. К. Зайцев и А. И. Куприн по-

Но важно помнить, что понять людей другой культуры или другой эпохи можно, только усвоив их взгляд на мир, их представления о добре и зле.

святили ему очерки «Алехину» и «Шахматисты».
В. В. Набоков, вдохновленный победой соплеменника,
начал работу над романом «Защита Лужина». Вроде бы Лужин не похож на Алехина. Но, возможно,
Набоков уловил главное сходство: шахматы, особенно в эмиграции, не отпускали Лужина, шахматы как
будто затягивали его в какой-то другой мир. И Лужин понимал, что ничего, кроме шахмат, у него нет,
что только в шахматном мире он полон сил и всев-
ластен, доволен и покоен. Алехин, в отличие от Лужина, был, по слову Любимова, «богатой натурой —
он хотел взять от жизни как можно больше, во всех
областях». Он ощущал в себе силу, выхода которой
не находил. Когда-то он мечтал о карьере дипломата,
для чего и поступил в Училище правоведения. Тема
диссертации, которую он готовил в Сорбонне, также
косвенно указывает на интерес к международным
делам. Однако, если факт защиты диссертации можно оспорить, то возразить против несостоявшегося
продвижения по дипломатической лестнице будет
сложно. В интервью, данном гроссмейстером газете
«New York Times» в 1924 г. во время нью-йоркского
турнира, он заявил, что намеревается завершить
профессиональную шахматную карьеру. «Шахматы слишком дороги мне, чтобы совершенно бросить
их. Но в дальнейшем они должны быть отодвинуты
на второе место в моей шкале жизненных ценностей.
Буду продолжать играть как спортсмен или люби-
тель, но не как профессиональный шахматист. Право
выдвинется на первое место». Кроме того, он сказал,
что имеет «некоторый опыт на поприще дипломатической службы» и, вернувшись в Париж, намерева-

ется обосноваться там. Из сказанного им следует, что в Париже он собирался продолжить дипломатическую карьеру. Это интервью только подтверждает слова Любимова о том, что Алехин хотел от жизни чего-то еще кроме шахмат.

Но мечте о дипломатической карьере не суждено было сбыться. И, вполне вероятно, Алехин вслед за Лужиным тоже начал болезненно ощущать, что одни только шахматы способны дать ему на чужбине «иллюзию действительно полнокровной жизни». В мае 1928 г. Алехин вступил в парижскую масонскую ложу «Астрея». Надо сказать, что в этой ложе перебывала чуть ли не вся эмиграция, как и Алехин, наверное, искавшая «иллюзию полнокровной жизни». Однако масонские радения Алехину быстро надоели и, по свидетельству Любимова, «он нередко превращал и ложу в шахматный клуб, усаживаясь за шахматную доску с гроссмейстером Бернштейном». То есть и в самом деле — ничто, кроме шахмат, не могло удовлетворить его. Эдуард Ласкер вспоминал, что «Алехин не мог жить без шахмат. Каждый раз, когда он обсуждал течение какой-нибудь партии или анализировал, его глаза начинали светиться, от него исходил какой-то нервный ток, как будто он находился под действием наркотика. Он ел и спал только для шахмат и грезил только шахматами. О чем бы ни шел разговор, Алехин всегда находил возможность свести его к шахматам. Более того, шахматы были его единственной любовью». Это описание уже приближается к характеристике Лужина, данной Набоковым, который верно уловил главный конфликт алехинской натуры. Он смог проявить себя только в шахматах, но только шахмат было ему недостаточно. Изменить же ситуацию он не мог. Любимов, видевший Алехина и в домашней обстановке, и в масонской ложе, наблюдал в нем постоянный надрыв и неудовлетворенность собой. Любимов приписывал это гордыне, причем гордыне самого неутешительного свойства, помноженной на невозможность исправить ошибки, как-то переменить ситуацию, и на неутолимую тоску по Родине.

Его состояние должно было усугубиться после завоевания шахматной короны в связи с еще одним невыясненным до конца обстоятельством.

15 февраля 1928 г. в Русском клубе Парижа был устроен банкет в честь Алехина — нового чемпиона мира. На банкет были приглашены русские журналисты и писатели, издатели и общественные деятели, художники и вчерашние политики. Являвшиеся к ужину платили по двадцать пять франков; те, кто пришел на танцы, — по десять. С поздравлениями выступили представители нескольких периодических изданий, а также кружков и организаций. Выступил и сам гроссмейстер, рассказав, что получил множество писем с поздравлениями из России. А говоря о законах борьбы, о своей личной борьбе, закончившейся недавно победой, он подчеркнул, что боролся не столько за личный успех, сколько за «успех шахмат против их отрицания Капабланкой. Это значило — разрушить легенду о «машине-человеке», которую создал Капабланка в своем подходе к шахматам, не признающем их как искусство. Мне удалось развеять миф о непобедимости Капабланки». Речь шахматного короля была встречена овацией.

Но едва ли не на следующий день в русских газетах появились заметки о прошедшем банкете. Причем утверждалось, будто Алехин пообещал, что миф о непобедимости большевиков развеется, как развеялся миф о непобедимости Капабланки. Спустя годы, исследователи биографии и наследия Алехина А. А. Котов и Ю. Н. Шабуров уверяли, что перечитали все эмигрантские газеты тех дней и везде речь Алехина была передана по-своему; в некоторых газетах ни о каком мифе и вовсе не упоминалось. Другие исследователи настаивают, что, если бы эмигрантские газеты переврали слова Алехина, он непременно потребовал бы опровержения. Однако стоит вспомнить, что в сентябрьском номере английского журнала «Chess» за 1937 г. в статье «Снова чемпион мира», посвященной победе Алехина над Эйве, утверждалось, будто из одесской тюрьмы Алехина спас Троцкий. Дело происходило в мирное время, сам Алехин был в неплохой форме, в здравом уме и трезвой памяти. Не знать того, что Троцкий никаким образом не участвовал в его спасении, Алехин не мог. Более того, о том, что Троцкий в Советском Союзе впал в немилость, он тоже не мог не знать. Однако никаких опровержений с его стороны не последовало, что, кстати, и дало повод исследователям настаивать на версии Троцкого — спасителя Алехина. Но версии такие возникают, когда исследователь не проявляет достаточно эмпатии и не пытается понять своего героя, объясняя его поступки исключительно со своей точки зрения. А что, если Алехин просто не склонен был бегать по редакциям и требовать опровержений, уклоняясь от всяческой суеты?

Котов и Шабуров уверяют, что едва ли не каждая газета по-своему передала смысл сказанного Алехиным на банкете. Так неужели нужно требовать или ждать от Алехина, чтобы, вооружившись листовкой с текстом своей речи, он обошел все издания, переговорил или переругался со всеми издателями и настоял-таки на правке и извинениях? Интересно, как поступили бы в этом случае сами исследователи, настаивающие, что отсутствие требований опровержения равносильно согласию с публикацией... Впрочем, спустя несколько лет, Алехин сам ответит на вопрос, почему не потребовал опровержения.

Но если бы он действительно сказал что-то о «большевистском мифе», все газеты наверняка напечатали бы одинаковый текст его выступления — едва ли кто-то из эмигрантских журналистов и издателей проигнорировал бы такой антисоветский выпад короля шахмат. Ведь в чем в чем, а в благожелательности к советской власти эмигрантские издания никак нельзя заподозрить. Но различия в публикациях свидетельствуют как раз о том, что заметки о банкете оказались в прямой зависимости от фантазии писавших. На что кому хватило фантазии, тот о том и написал. Так, одна газета выдумала «миф о непобедимости большевиков», поскольку слово «миф» звучало в алехинской речи, хоть и в другом контексте; другая рассказала о мифической непобедимости Капабланки; третья и вовсе забыла про этот миф и даже не упомянула о нем. Алехин же, судя по всему, предпочел не замечать журналистских проделок. Делать лишние ходы, не преследующие определенной цели, было не в натуре гроссмейстера.

Зато проделки эмигрантской прессы тут же заметили другие. В марте 1928 г. в № 6 советского журнала «Шахматный листок» появилась грозная статья «О новом белогвардейском выступлении Алехина» председателя Исполнительного бюро Всесоюзной шахматной секции Н. В. Крыленко, заявившего, что «после речи в Русском клубе с гражданином Алехиным у нас все покончено — он наш враг, и только как врага мы отныне должны его трактовать...» В мае того же года в «Шахматном листке» под рубрикой «Письмо в редакцию» было напечатано обращение харьковчанина Алексея Александровича Алехина — старшего брата гроссмейстера: «Я осуждаю всякое антисоветское выступление, от кого бы оно ни исходило, будь то, как в данном случае, брат мой или кто-либо другой. С Александром Алехиным у меня покончено навсегда!» Исследователи в голос заявляют, что письмо это было написано под диктовку властей. Однако никаких доказательств этому никто не привел. Поэтому утверждать, что представители власти вынудили Алексея Алехина написать письмо против родного брата, просто невозможно. Алехин-старший мог проявить инициативу, испугавшись вероятных неприятностей, и сам поспешил заявить, что ничего общего с тем, что якобы сказал на парижском банкете его младший брат, он не имеет.

Но едва ли Александр Алехин говорил эти слова. Иначе, повторимся, их бы в точности напечатали все русские газеты Парижа. Зато странностей вокруг невысказанных слов собралось немало. Так, спустя ровно неделю после того, как Алехин стал чемпионом мира, в одесской газете «Вечерние известия» (№ 1440 от 6 декабря 1927 г.) появился редакционный материал под заголовком «Алехин возвращается в СССР». В статье утверждалось, что «по полученным сведениям, чемпион мира по шахматам А. А. Алехин высказал желание возвратиться в СССР, подав соответствующие ходатайства о восстановлении советского гражданства. По этому поводу председатель Шахсекции ВСФК тов. Н. В. Крыленко сообщил следующее: «Никаких официальных заявлений от гр. Алехина мы до сих пор не получали. Для этого есть установленные законом пути. У Алехина не было оснований жаловаться на Советский Союз и недостаток внимания. Если верно то, что в нью-йоркском турнире 1924 года он эмблемой своей выставил трехцветный царский флаг, он должен будет в своем заявлении указать такие мотивы, которые создали бы уверенность в том, что нынешняя просьба не является только одной «шахматной комбинацией» нового чемпиона. Мы приветствуем всякие таланты и ценим их — в том числе и талант Алехина — лишь постольку, поскольку они могут быть использованы нами в общей работе над культурным развитием и подъемом трудящихся масс. Это Алехин должен знать. Согласен он искать с нами общий язык — милости просим, — мы не злопамятны. Не согласен — шахматное движение СССР пройдет мимо него».

А теперь вспомним постановление Исполнительного бюро Всесоюзной шахматной секции от 14 декабря 1926 г., посвященное Боголюбову, но вскользь затронувшее Алехина. Тогда Шахматная секция заявляла, что не желает «вступать в какие-либо переговоры с Алехиным об участии его в международном турнире в Москве». Но спустя ровно год в откровенно провокационном материале председатель секции намекает уже более явно, что Алехину надо самому первым сделать шаг навстречу, переступив через гордость. Но стоило эмигрантской прессе напечатать искаженные слова Алехина, как Крыленко шлет ему очередные проклятия: «с гражданином Алехиным у нас все покончено — он наш враг, и только как врага мы отныне должны его трактовать». То есть получается, что, пользуясь каждым удобным случаем, Шахматная секция кричит, будто не желает знать Алехина; потом намекает на возможное возобновление отношений, если он первым об этом попросит; потом взрывается негодованием со словами «между нами все кончено!» Шахматная секция напоминает какую-то истеричную, ревнивую жену, которая так бы и хотела помириться с загулявшим мужем, да гордость не велит.

Само собой, все эти заявления Шахматной секции не имели характера приговора. Взять того же Куприна, опубликовавшего «Купол Св. Исаакия Далматского» в 1927 г., а спустя 10 лет совершенно легально вернувшегося на Родину; или множество царских офицеров, воевавших против Советов, но потом оказавшихся на службе в Красной армии; или тех «возвращенцев», что получили после войны советский паспорт и отправились домой. Никто этих людей не хватал, не тащил в ГУЛАГ и не расстреливал в ближайшем овраге. Судьбы складывались у всех по-разному, но сама по себе эмиграция или даже антисоветская деятельность в период Гражданской войны или после бегства из России отнюдь не являлись основанием для грозного изрока.

Но мог ли предполагать это Алехин, памятовавший об одесской тюрьме и вызове на допрос в ВЧК?! Особенно, если предположить, что с деникинцами его действительно связывали какие-то, пусть и случайные, финансовые отношения. Зная о его желании вернуться в Россию или хотя бы побывать на Родине, можно себе представить, насколько неприятным сюрпризом стал очередной выпад Шахматной секции. Уже к этому времени относятся свидетельства о растущем пристрастии Алехина к алкоголю. Впрочем, находятся исследователи, утверждающие, будто Алехин только изображал выпивоху. Но, во-первых, внятных объяснений тому, зачем понадобилось чемпиону мира притворяться пьяницей, до сих пор дано не было. А во-вторых, слишком много самых разных свидетелей, знавших гроссмейстера лично и, не сговариваясь, подтвердивших его пагубное пристрастие. Даже в письмах Капабланки, писанных, разумеется, не для печати, встречается осуждение безалаберной жизни Алехина, его астрономических счетов за алкоголь. Что ж, дипломатическая карьера уже точно не складывалась, связь с Родиной пропала. Оставались одни шахматы и... Бахус. И гроссмейстер целиком погрузился в шахматную жизнь. Работал над книгами, ездил с гастролями, давал сеансы одновременной игры в разных странах. Бахус пока не мешал ему.

В это же время, в феврале 1928 г., Капабланка, мечтавший о матче-реванше, отправил президенту Международной шахматной федерации (ФИДЕ) А. Рюбу письмо с предложением изменить правила проведения матчей на первенство мира. Главное изменение касалось общего числа партий. Число партий, по мнению Капабланки, должно быть ограничено до шестнадцати. И таким образом, «матч играется до шести выигранных партий, но если после шестнадцати партий ни тот, ни другой участник не выиграет требуемых шести партий, то победившим в матче и завоевавшим мировое первенство признается тот, у кого окажется фактический перевес в выигранных очках». Копию этого письма Капабланка отправил Алехину, который отреагировал весьма бурно. Такая реакция, вероятно, была связана еще и с тем, что инициатива Капабланки подтолкнула ФИДЕ к разработке и обнародованию собственного плана, в соответствии с которым общее число партий составляло 25, а победителем считался выигравший 4 партии. Кроме того, предлагалось утвердить денежный фонд матча в размере 10 000 швейцарских франков, то есть существенно ниже «золотого вала», за которым в свое время прятался от Алехина Капабланка. И хотя ни новый план ФИДЕ, ни предложения Капабланки не распространялись на планируемый матч-реванш, Алехин воспринял предлагаемые новшества именно так и пришел в бешенство. В наиболее развернутой форме он изложил свою позицию корреспонденту британской газеты «The Observer». Капабланке он написал большое письма, детально останавливаясь на каждом новом пункте и рассказывая, что было бы, если бы матч 1927 г. игрался в соответствии с такими правилами. Письмо начиналось и заканчивалось гневной отповедью. Алехин писал: «Потеряв звание чемпиона мира,

Вы обращаетесь к ФИДЕ изменить те самые условия матча за звание чемпиона, которые Вы сами выработали, завоевав это звание, и которые Вы предложили Вашим возможным противникам в Лондоне в 1922 г. Вы делаете этот шаг несмотря на то, что прекрасно знаете, что я по принципиальным соображениям никогда не соглашусь на эти изменения, тем более что они имеют в виду возможное повторение нашего с Вами матча. <...> Вы, по-видимому, недостаточно хорошо знаете меня, если можете предполагать, что кто-нибудь может заставить меня отказаться от того, что я считаю вполне правильным и соответствующим идее состязания. Если Вы хотите играть со мной повторный матч, Вы должны будете подчиниться тем условиям, которые Вы сами установили и в соответствии с которыми игрался наш первый матч...»

Вскоре «Американский шахматный бюллетень» опубликовал возмущенный ответ Капабланки. Во-первых, экс-чемпион негодовал, что его письмо ФИДЕ, копия которого попала к Алехину только в виде любезности, Алехин предал огласке. Во-вторых, уверял Капабланка, речь шла о будущем шахмат и к предстоящему матчу-реваншу отношения предлагаемые новшества не имели. Поэтому кубинец недоумевал, с чего бы Алехин так взъелся на него. Послав затем вызов, Капабланка получил отказ, поскольку чемпион мира уже принял вызов от Боголюбова. «Если мой матч с Е. Д. Боголюбовым состоится и мне посчастливится сохранить свое звание, — писал Алехин, — то по окончании его я готов буду принять Ваш вызов». Забегая вперед, отметим, что встреча с Капабланкой так и не состоялась. Алехин вообще как будто избегал играть с ним. Даже в последующих турнирах старался не допустить участие Капабланки. В тех случаях, если Капабланка был приглашен, Алехин запрашивал такой гонорар, что организаторам было проще отказать кубинцу.

1 октября 1929 г. Капабланка в очередной раз отправил официальный вызов Алехину, но ответа не получил. Тогда он снова написал письмо и передал его для вручения чемпиону мира с австрийским мастером Х. Кмохом. Однако Алехин снова был возмущен — на сей раз ему не понравился выбранный Капабланкой способ ведения переговоров. В ответ возмутился Капабланка. В письме голландскому мастеру Г. Оскаму он написал: «В вызове не было ничего секретного. Я послал его через Кмоха, так как у меня не было берлинского адреса Алехина. Я послал вызов открытым, потому что знаю с детских лет: если передаешь кому-либо письмо с другом или через третье лицо, письмо не должно быть запечатано. Если Алехину незнакомы такие элементарные правила этикета, это не моя вина. Алехин утверждал, что не получил предыдущего вызова потому, что его не было в Париже. Теперь он говорит, что уже получил вызов от Боголюбова. Вы видите: я не могу доверять ему». Безрезультатные переговоры в подобном тоне между возненавидевшими друг друга соперниками продолжались вплоть до начала Второй мировой войны.

Между тем первый матч с Боголюбовым состоялся в сентябре 1929 г. и завершился, конечно, победой Алехина. Причем завершился досрочно со счетом $15\,{}^1\!/_2 : 9\,{}^1\!/_2$. После победы над Капабланкой Алехин словно достиг своего апогея. В начале 1930 г. на турнире в Сан-Ремо Алехин опередил второго призера на 3 $^1/_2$ очка. Выступая летом того же года на шахматной Олимпиаде в Гамбурге, чемпион мира сыграл 9 партий и все 9 выиграл. Осенью 1931 г. на турнире в Бледе он опередил второго призера уже на 5 $^1/_2$ очков. Такого еще в международных соревнованиях не случалось, это был рекорд. Именно там после молниеносного разгрома от Алехина А. Нимцович сказал свои знаменитые слова: «Он обращается с нами, как с желторотыми птенцами». Победа следовала за победой, слава чемпиона росла, и когда в 1931 г. он выступал с сеансами одновременной игры в Рейкьявике, парламент Исландии приостановил работу ради участия депутатов в игре с шахматным королем или хотя бы наблюдения за игрой.

С 3 августа 1932 г. по 11 мая 1933 г. он совершил кругосветное путешествие, выступая в самых разных странах с сеансами одновременной игры. В Нью-Йорке, например, он играл на 50 досках, за каждой из которых расположились по четыре шахматиста, совместно обдумывающих каждый ход. В этом состязании чемпионом мира было выиграно 30 партий и 14 сведено к ничьей. Перед отъездом масоны снабдили Алехина некими поручениями, но, как следует из переписки «братьев», гроссмейстер поручений не выполнил, явив в очередной раз совершеннейшую аполитичность и незаинтересованность ни в чем, кроме шахмат.

Не успел Алехин вернуться из путешествия вокруг земного шара, как уже отправился в Англию на шахматную Олимпиаду. А уже через месяц он выступал в Чикаго на Всемирной выставке «Век прогресса» с сеансом одновременной игры вслепую на 32 досках, выиграв 19 партий, проиграв 4 и 9 завершив ничьей.

Но, несмотря на продолжавшиеся победы, госпожа Удача, так широко улыбавшаяся гроссмейстеру последние годы, вдруг заскучала рядом с ним и время от времени стала отворачиваться в поисках нового фаворита. Вехой в жизни Алехина стало знакомство в американской Пасадене с богатой вдовой британского офицера и владельца чайной плантации на Цейлоне Грейс Висхар. Помимо чайной плантации Грейс имела старинный замок близ французского Дьепа, а еще неплохо разбиралась в шахматах и была старше гроссмейстера на 16 лет — над пристрастием чемпиона мира к великовозрастным дамам многие подсмеивались, а кто-то даже назвал Висхар «вдовой Филидора[1]».

К слову, эту склонность Алехина к женщинам старше себя можно считать важным обстоятельством в биографии гроссмейстера, в какой-то мере приоткрывающим его личность. Так, Анна-Лиза Рюэгг была старше Алехина на 13 лет, Надежда Семеновна Васильева — на 19 и, наконец, Грейс Висхар — на 16. О чем это может рассказать? В современном мире такой феномен встречается довольно часто. Все чаще мужчины выбирают спутниц, годящихся им в матери. Психология связывает это с потребностью в спокойных и стабильных отношениях. Кроме того, с женщиной старше мужчина часто чувствует себя увереннее,

---

[1] Франсуа-Андре Даникан Филидор (1726—1795) — французский оперный композитор, шахматист, шахматный теоретик, в свое время слыл сильнейшим шахматистом в мире.

не боясь насмешек, непонимания и непостоянства. Есть также категория мужчин, ищущих в спутнице мать, то есть заботу и теплоту; такое бывает в тех случаях, когда в детстве у мужчины складывались непростые отношения с собственной матерью. Бытует мнение, что и Алехин предпочитал женщин, способных заменить ему мать, окружить лаской и попечением. Но, возможно, дело в другом — инстинктивно он выбирал спутниц, которые не отвлекали бы его от шахмат на глупости и ревность, не требовали бы длительных и церемонных ухаживаний. Его спутнице надлежало создавать бытовые условия, не капризничая и не кокетничая. Другими словами, даже в любви он оставался гроссмейстером, даже любовь приспосабливал к шахматам.

Вернувшись во Францию, Алехин оставил ничего не подозревавшую Надежду Семеновну, которая еще накануне отъезда мужа стала его доверенным лицом в масонской ложе. В конце 1933 г. они развелись, а 24 марта 1934 г. гроссмейстер Алехин женился на «вдове Филидора» Грейс Висхар. Дочь Надежды Семеновны Гвендолина Изнар впоследствии писала, что ее матушка очень тяжело переживала этот разрыв, «особенно от сознания, что, уходя из-под ее благотворного влияния, Алехин начнет «чудить». Он всегда был склонен к алкоголизму, с проявлениями которого она (Надежда Васильева. — С.З.) всегда успешно боролась». Гвендолина Изнар уверена, что это горе подорвало «организм и дух» ее матери, скончавшейся 30 января 1937 г. Алехина в ту пору не было в Париже, семье бывшей жены он прислал телеграмму с соболезнованиями.

Надежда Семеновна оказалась совершенно права: к моменту ее смерти «чудил» Алехин уже основательно.

Но это будет потом. А пока, в 1934 г. он с новой женой прибыл в Германию на повторный матч с Боголюбовым, из-за которого дважды дал отставку Капабланке. Матч он выиграл со счетом $15\,{}^{1}/_{2}:10\,{}^{1}/_{2}$, сохранив шахматную корону, а сразу после матча завоевал первый приз в цюрихском турнире. В Цюрихе Алехин выиграл 12 партий, вничью сыграл с Боголюбовым и Флором и проиграл одну партию Эйве, который, точно воодушевившись победой над чемпионом мира, отправил ему вызов на розыгрыш мирового первенства. Вызов был принят, в мае 1935 г. — подписано официальное соглашение, оговаривавшее, в случае проигрыша Алехина, проведение матча-реванша через два года.

С октября по декабрь 1935 г. в разных городах Голландии проходил матч между Александром Алехиным и Махгилисом (Максом) Эйве. Казалось бы, окончание встречи непобедимого Алехина и не самого блестящего гроссмейстера из Голландии предсказуемо. Шахматные авторитеты того времени были единодушны: шансов у Эйве немного. Но... 15 декабря, когда игралась последняя 30-я партия, Алехин после ничьей воскликнул: «Ура новому чемпиону мира! Да здравствуют голландские шахматы!» Эйве выиграл у Алехина со счетом $15\,{}^{1}/_{2}:14\,{}^{1}/_{2}$. Что же случилось? Почему шахматная корона упала с головы короля? Версий на этот счет много. И все они, как всегда, спорные и довольно противоречивые.

А. А. Котов в романе «Белые и черные», а также в документальном исследовании «Алехин» уверяет, что виной всему — Бахус: «После многих предположений пришли к следующему выводу, подтвердившемуся сообщениями корреспондентов из Голландии: Алехин играл эти партии в состоянии опьянения. Писали, что на одну из партий Алехин пришел в таком состоянии, что не смог сам подняться на сцену. «Может быть, отложим партию?» — предложил противнику всегда спортивный Эйве. «Ни в коем случае!» — пробормотал Алехин». Котову вторит и Любимов, написавший, что Алехин «в пьяном угаре проиграл «шахматную корону» Эйве». Из писем Гвендолины Изнар мы также узнаем, что еще Надежда Семеновна опасалась, как бы Алехин не запил. На алкогольную зависимость Алехина сетовал и Капабланка. Но Ю. Н. Шабуров считает это явным утрированием, если не оговором, ссылаясь, например, на воспоминания С. Флора, уверявшего Шабурова, что Котов сильно преувеличил дурные наклонности Алехина. Кроме того, Шабуров в своей книге привлекает в качестве свидетеля самого Эйве, заявившего после матча следующее: «Мне хотелось рассеять одно заблуждение. И во время матча, и после него, вплоть до сегодняшнего дня, широкое распространение получило мнение, будто поражение Алехина явилось результатом его злоупотребления алкоголем. Как же обстояло дело в действительности? В нашем первом матче Алехин совершенно не пил в течение первой половины соревнований и обратился к алкоголю лишь тогда, когда матч оказался в критической стадии, по-видимому, перед 18-й и, безусловно, перед 21-й и 30-й партиями. Может быть, было и еще несколько случаев, но я их не заметил».

Это высказывание весьма интересно, и стоит остановиться на нем подробнее. Во-первых, Эйве в этом вопросе — лицо заинтересованное, и не может рассматриваться как полноценный свидетель. Во-вторых, спрашивать его мнения в таком деле даже как-то невежливо, потому что, по сути, такой вопрос ставит Эйве в крайне неловкое положение: либо он должен признать, что выиграл титул чемпиона у пьяного соперника, что, естественно, понижает ценность победы; либо ему приходится лгать, заверяя вопрошавших, что вовсе Алехин не пил. В-третьих, Эйве говорит, что уже во время матча сложилось мнение, будто Алехин злоупотреблял спиртным. Если бы такое мнение появилось после матча, его можно было бы списать на зависть и козни. Но во время матча это невозможно, поскольку все вокруг и так видят: пьян ли Алехин или нет, посему обмануть никого не удастся. Как во время матча могло бы сложиться такое мнение, если бы Алехин алкоголем не злоупотреблял? Кто же скажет о человеке, что он пьяный, если все видят, что это не так? Тем более речь идет не о дворовом хулигане, а о короле шахмат. А значит, если разговоры о злоупотреблении алкоголем начались во время матча, дым был не без огня. В-четвертых, Эйве утверждает, будто Алехин обратился к алкоголю, когда стал проигрывать. Значит, все-таки алкоголь был, причем в заметных количествах. Выражение «обратился к алкоголю, когда матч оказался в критической стадии» не означает, что Алехин выпил рюмку-другую. Когда говорят, что человек в критической ситуации обращается к алкоголю, подразумевают, что он попросту запил. В-пятых, Эйве считает, что Алехин «обратился к алкоголю» после того, как «матч оказался в критической стадии», но вполне могло быть, что все обстояло с точностью до наоборот: матч оказался в критической стадии после того, как Алехин обратился к алкоголю. В-шестых, если, как утверждает сам Эйве, Алехин запил к 18-й партии, это не значит, что на ранних стадиях матча он вовсе не притрагивался к спиртному. Если окружающие видят, что человек злоупотребляет, это означает, что выпито много. При употреблении алкоголя в небольших дозах сторонние наблюдатели могут и не заметить опьянения. В-седьмых, есть еще одно косвенное доказательство того, что Алехин все-таки злоупотреблял, причем еще до начала матча. Матч начался 3 октября. А 29 сентября Алехин, уже прибывший в Амстердам, отправил на бланке отеля «Карлтон» письмо в редакцию советской газеты «64». Письмо гласило: «Не только как долголетний шахматный работник, но и как человек, понявший громадное значение того, что достигнуто в СССР во всех областях культурной жизни, шлю искренний привет шахматистам СССР по случаю 18-й годовщины Октябрьской революции. А. Алехин Амстердам. 29/IX 1935».

Спрашивается, с чего бы это вздумалось гроссмейстеру поздравлять советских шахматистов с годовщиной Великого Октября? Почему именно сейчас? Ведь за все время своего пребывания за границей он ни разу их не поздравлял и не посылал никому приветов. Не поздравлял ни с десятой годовщиной, ни с пятнадцатой. Так отчего же решил поздравить с восемнадцатой? Однако, если вспомнить, что, по слову Эйве, во время матча широкое распространение получило мнение, будто Алехин злоупотреблял алкоголем, то этот странный поступок находит свое объяснение. В пьяном виде пишут еще и не то. И если предположить, что Алехин слал свой искренний привет шахматистам СССР в пьяном виде, то сам факт этого письма перестает вызывать удивление. Стоит учесть и то обстоятельство, что поздравление написано на бланке отеля — это выдает спонтанность поступка и некоторую не идущую к делу спешку.

Получилось в точности по поговорке: что у трезвого на уме, то у пьяного на языке. Ну, или на кончике пера, добавим мы. В письме этом пьяный, вероятно, Алехин проговорился о том, что давно его мучило: достижения СССР во всех областях культурной жизни огромны, и как хорошо было бы вернуться домой. А ведь Флор рассказывал, что еще в 1933 г. Алехин просил его выяснить во Всесоюзной шахматной секции, как бы отнеслись дома к его приезду. Тогда ответа не последовало, и Алехин сам перешел к тактике Всесоюзной шахматной секции, намекнув со своей стороны, что не против примирения.

Можно встретить две копии письма. На одной отчетливо видна дата: «29/IX 1935». На другой, то ли подретушированной, то ли просто затершейся, «IX» превратилась в «X», и стало «29/X 1935». Позже появились уточнения, что в октябре Алехин не мог отправить письма из Амстердама, поскольку в то время игра шла в Гааге — за время матча соперники играли в тринадцати городах Нидерландов.

Но принципиально это сути не меняет. До матча или в разгар его, но письмо, скорее всего, было написано с учетом злоупотребления горячительным.

О письме Алехина председатель Всесоюзной шахматной секции Крыленко доложил Сталину и Молотову, предложив опубликовать послание в газете «64» с язвительными комментариями — мы уже видели, что Крыленко не мог отказать себе в удовольствии лишний раз поддеть Алехина. Но руководство страны проявило мудрость, решив опубликовать письмо в газете «Известия» без каких бы то ни было комментариев. Под резолюцией стояли подписи Сталина и членов Политбюро. 16 ноября 1935 г. письмо пока еще чемпиона мира было опубликовано в центральной советской газете. В Союзе эту публикацию встретили доброжелательно, чего не скажешь об эмигрантской прессе, не обнаружившей мудрости советского руководства и как раз таки снабдившей публикацию язвительными комментариями, вроде того, что Алехин «битым отошел к Советам».

К слову, обращение Крыленко к Сталину за разрешением на язвительные комментарии лишний раз свидетельствует в пользу того, что сама по себе Шахматная секция не могла решать, кого пригласить в Москву, а кого объявить врагом советской власти. И вот уже Алехин получил приглашение на III Международный турнир в Москве. Турнир проходил в июне 1936 г. Но Алехин не поехал туда. Флор вспоминал, что в Москву он хотел явиться только чемпионом мира. Возможно, он действительно стыдился ехать на Родину после поражения. А может быть, сказывались опасения в связи с делом № 228.

Возвращаясь к причинам поражения в матче с Эйве, нужно привести и другие версии. Так, С. Флор рассказывал, что осматривавший Алехина перед матчем

АЛЕХИН НИКОГДА НЕ БЫВАЛ В ПРИПОДНЯТОМ НАСТРОЕНИИ, ПО-НАСТОЯЩЕМУ СЧАСТЛИВЫМ, ОН НИКОГДА НЕ СМЕЯЛСЯ И ЛИШЬ ИЗРЕДКА «СУХО, САРДОНИЧЕСКИ УСМЕХАЛСЯ».

голландский врач выражал опасения по поводу здоровья гроссмейстера, отмечая, что у Алехина не в порядке нервы и больное сердце. А мы помним, как в анкете Коминтерна Алехин указал, что от службы в армии был освобожден по болезни сердца. Значит, диагноз голландского врача не стал сюрпризом.

Заслуженный тренер СССР по шахматам А. Н. Кобленц, наблюдавший за матчем Алехина с Эйве, в книге «Воспоминания шахматиста» написал впоследствии, что Алехин просто устал и не выдержал монотонного хода состязания, тяжелейшего психологического груза. Он играл в чужой стране, где не то что друзей — практически не было у него знакомых. Вслед за Любимовым Кобленц отметил, как «все существо Алехина было пронизано глубокой, безнадежной грустью. И лишь неугасимое честолюбие и смелость поддерживали его неистощимую энергию». По наблюдениям Кобленца, Алехин никогда не бывал в приподнятом настроении, по-настоящему счастливым, он никогда не смеялся и лишь изредка «сухо, сардонически усмехался». Шахматный король оказался одинок. И это бросалось в глаза. Франции он был безразличен. Россия была далеко.

Все же неверно отдавать предпочтение какой-то одной причине поражения Алехина. Вероятнее всего, как и бывает часто в жизни, произошло так называемое стечение обстоятельств. Одиночество, плохое здоровье, усталость и, возможно, последствия эйфории после завоевания титула чемпиона мира, ощущение опустошенности — все это могло привести Алехина к депрессии. Как известно, депрессия довольно часто заливается алкоголем. Так что неудивительно, что во время матча Алехин, находившийся не в лучшей физической, да и моральной, форме, злоупотреблял спиртным.

Но в любом случае, после поражения он был настроен решительно и, покидая Голландию заявил: «Ничего страшного не случилось. Будем считать, что я одолжил звание чемпиона мира на два года!» Когда Эм. Ласкера, в то время переселившегося в СССР, спрашивали о проигрыше Алехина, он, выступая, сказал: «Каждое поражение является для проигравшего ценным уроком. Кто не проигрывает, не двигается вперед».

Мы уже знаем, что характер Алехина отличался от характера Капабланки, который терял уверенность из-за неприятностей. В отличие от кубинца, Алехину была нужна цель; не имея цели, он расслаблялся и раскисал, поражения только воодушевляли его на борьбу, заставляли собраться и выложиться. Так вышло и в тот раз. Тем более что поражение в матче с Эйве оказалось не последним. Если турниры в Наугейме и Дрездене удалось выиграть, то в Подебради он занял второе место, а в крупнейшем турнире в Ноттингеме, собравшем четырех чемпионов мира — Ласкера, Капабланку, Алехина и Эйве — только шестое. Впоследствии он написал книгу «Ноттингем 1936», подробнейшим образом проанализировав все партии.

Любопытно, что в этот период он дважды после не самых удачных своих выступлений писал письма на Родину. Первое из этих писем было написано во время турнира на чехословацком курорте Подебради и передано в Москву с Флором. Алехин писал: «24.VII.1936 г. В редакцию «64» Мне будет глубоко радостно посредством сотрудничества в Вашем журнале после столь долгих лет опять принять посильное участие в шахматном строительстве СССР. Пользуюсь случаем, чтобы от всего сердца послать привет новой, стальной России. А. Алехин». Турнир в Подебради проходил с 4-го по 26 июля, письмо написано — 24-го, то есть под занавес мероприятия. И так же после окончания Ноттингемского турнира Алехин написал из Лондона еще одно письмо: «Лондон, 1.IX.1936 г. В редакцию «64» В связи с вопросом о возможности моего сотрудничества в Вашем журнале считаю своим долгом сделать следующее заявление: I. Для меня было бы огромной радостью вновь принять посильное участие в шахматном строительстве СССР. II. Надеюсь, что мои ошибки в прошлом, ныне вполне осознанные, не окажутся непреодолимым препятствием к названному участию. Ошибки эти заключались: а) в непростительно-непротивленческом отношении к освещению моего политического лица международной противосоветской печатью, на протяжении многих лет привешивавшей мне белогвардейский ярлык; б) в неправильном и тенденциозном (главным образом за отсутствием прямых сведений) толковании фактов шахматного строительства и проявлений общественности в статьях и частью словесных выступлениях. Я тем глубже жалею об этих ошибках, что за последние годы равнодушное отношение мое к гигантскому росту советских достижений превратилось в восторженное. Доказать это отношение на деле было бы, повторяю, мне величайшим удовлетворением. А. Алехин».

Вот и ответ на вопрос, почему Алехин не требовал опровержений у эмигрантских издателей — ему было безразлично, что там о нем написали. Кстати, обратим внимание, насколько взвешенным и продуманным кажется письмо из Лондона и как отличается оно от амстердамского поздравления. Возможно, Алехин долго обдумывал, что именно он может предложить Родине и с чего начать возобновление прерванных отношений.

До 1967 г. письма находились в домашнем архиве Р. А. Гольца, ответственного секретаря газеты «64». В 1937 г., то есть вскоре после получения редакцией писем Алехина, Гольц был обвинен в контрреволюционной агитации и в 1938 г. расстрелян. Возможно, именно поэтому письма осели в его домашнем архиве и впервые были напечатаны только в 1967 г., уже после реабилитации Гольца, — в № 9 журнала «Шахматы в СССР». Вероятно, поэтому ответа Алехин так и не получил.

Некоторые исследователи настаивают, что письма Алехина, опубликованные в 1967 г. в СССР, на самом деле — фальшивки. В частности, на том основании, что Алехин якобы не мог написать «привет новой, стальной России», поскольку слова «стальная Россия» не из его лексикона и более нигде он так не писал и не говорил. Что ж, быть может, Алехин и не употреблял подобных слов в повседневной жизни, но в контексте письма это выражение могло иметь совершенно определенный смысл. Алехин словно хотел сказать: «привет крепнущей и развивающейся России под руководством товарища Сталина». Тем самым он, возможно, стремился и обозначить свою симпатию к обновленной стране, и подчеркнуть, что он свой, что понимает и принимает все перемены, происходящие на Родине. Важно правильно понять заложенный в необычные слова смысл, тогда и сомнения в подлинности писем отпадут сами собой.

Но вот наконец подошел день начала матча-реванша — 5 октября 1937 г. Матч продлился два месяца, игрался в разных городах Голландии. По условиям матча, победителем становился выигравший большую часть из 30 партий; при счете 15:15 Эйве оставался бы чемпионом. Несмотря на то, что первая же партия была проиграна Алехиным, матч он выиграл со счетом $15\,^1/_2 : 9\,^1/_2$. Так, 4 декабря 1937 г. Алехин вернул себе чемпионский титул. Александр Александрович словно возродился из пепла. Он перестал злоупотреблять спиртным — говорят, в то время он пил только молоко, бросил курить и даже поправился. На матч он явился посвежевшим и отдохнувшим. Недавний проигрыш, как это обычно бывало, заставил взять себя в руки и сосредоточиться. Появилась цель: доказать всему шахматному миру и самому себе, что именно он — сильнейший шахматист планеты. И цель была достигнута. Если злоупотреблявший алкоголем Алехин проиграл Эйве всего лишь одно очко, то собравшийся и отдохнувший, он уже выиграл с преимуществом в шесть очков. Оказалось, что у Алехина можно выиграть только если он слаб, болен и пьян. «Алехин играл изумительно, и я не стыжусь того, что был побежден таким противником», — вынужден был признать Эйве.

Вернув себе шахматную корону, Алехин официально заявил, что готов встретиться с Капабланкой.

Но когда в начале 1938 г. он явился в Монтевидео, чтобы подписать соглашение о новом матче-реванше, выяснилось, что Капабланка выдвинул какие-то удивительные финансовые условия. Муниципалитет Монтевидео после нескольких совещаний с представителями Аргентинской шахматной федерации пришли к заключению, что не смогут принять условий Капабланки. «Обидно, — сказал Алехин по этому поводу в интервью журналу «Chess», — что потерял время, осуществив путешествие из Европы в Южную Америку для того, чтобы узнать, что не буду защищать свой титул!» Но, видно, чтобы не считать это время безнадежно потерянным, он выиграл в Монтевидео турнир, после чего, вернувшись в Европу, одержал еще две победы в турнирах Маргита и Плимута.

Между тем в Стокгольме прошел конгресс ФИДЕ, где обсуждался следующий матч за чемпионское звание. Претендента решено было назначить, и большинством голосов такое назначение получил С. Флор. Почему-то И. Линдер и В. Линдер в книге «Алехин» утверждают, будто чемпион мира отказался играть с гроссмейстером Флором. Но известно, что в мае 1938 г. Алехин приезжал в Прагу, где проживал Флор, и там они подписали соглашение о матче, запланировав игру на конец 1939 г. Но политика снова вмешалась в жизнь шахмат, и матчу с Флором не суждено было состояться. В сентябре 1938 г. в Мюнхене Чемберлен, Даладье, Муссолини и Гитлер подписали свое знаменитое соглашение, известное как Мюнхенский сговор и ставшее прологом к началу Второй мировой войны. События, происходившие затем, начиная разделом Чехословакии, включая акт Молотова — Риббентропа и заканчивая нападением на Польшу, стали закономерными последствиями сговора в Мюнхене.

Чтобы не оставаться в захваченной немцами Чехии, Флор перебрался в СССР, а вопрос о его участии в матче остался где-то в прошлой жизни. По иронии судьбы, ему, недавнему претенденту на розыгрыш шахматной короны, пришлось в качестве посредника участвовать в переговорах между Алехиным и новым претендентом. Было это в Голландии, где в ноябре 1938 г. проходил так называемый «АВРО-турнир», субсидировавшийся радиокомпанией «Algemene Vereniging Radio Omroep» или «AVRO». Организаторы задумывали турнир как отборочный — победителю обещали финансовую поддержку в проведении матча за первенство мира. Но Алехин отверг такой подход и перед началом турнира заявил, что будет играть с любым гроссмейстером, готовым выполнить условия матча.

По итогам соревнования Алехин с Эйве и Решевским разделили четвертое-шестое места. Третьим стал советский шахматист М. Ботвинник, лидировали П. Керес и Р. Файн. Ботвинник вспоминал, что турнир был не из легких, главным образом — из-за плохой организации. Приходилось ездить по всей стране, перед игрой вместо обеда и отдыха — поезд, так что играли зачастую голодными. Двадцатисемилетнему Ботвиннику пятидесятилетний Капабланка и сорокашестилетний Алехин казались людьми пожилыми, не выдерживающими таких серьезных нагрузок.

Уже на закрытии турнира Ботвинник обратился к Алехину с просьбой назначить аудиенцию. «Алехин соображал быстро, радость промелькнула у него в глазах — он понимал, что сыграть с советским шахматистом на первенство мира наиболее простой, а быть может, и единственный путь к примирению с Родиной». Чтобы не сталкиваться лишний раз с Капабланкой, Алехин жил отдельно от других игроков — в том самом отеле «Карлтон», откуда в 1935 г. отправил советским шахматистам привет по случаю 18-й годовщины Октябрьской революции. В этом отеле и была назначена встреча с Ботвинником, и куда тот на всякий случай явился вместе с Флором. Ботвинник еще в Ноттингеме заметил доброжелательное отношение Алехина, которым молодой советский шахматист искренне восхищался. По мнению Ботвинника, это восхищение обезоруживало короля шахмат. Теперь же, расположившись за чаем, они согласовывали условия будущей встречи. Алехин предоставил сопернику право выбирать место для соревнования, уточнив, что готов играть в любой стране, кроме Голландии. В случае, если местом проведения матча будет выбрана Москва, Алехин хотел бы быть приглашен в Россию за три месяца, чтобы освоиться и привыкнуть. Финансовые условия оставались прежними. На том и порешили. А вскоре по возвращении Ботвинника домой в Ленинград, в начале 1939 г. ему пришла правительственная телеграмма: «Если решите вызвать шахматиста Алехина на матч, желаем вам полного успеха. Остальное нетрудно обеспечить. Молотов». Уже впоследствии Ботвинник пришел к выводу, что телеграмма была продиктована Сталиным: в нескольких строчках узнавался именно его стиль, включая такие обороты как «желаем» вместо «желаю» и «нетрудно обеспечить». В любом случае согласие на игру с Алехиным, в том числе и в Москве, было дано на самом высоком уровне. Так что домыслы о принципиальной невозможности въезда Алехина на территорию СССР остаются опять же домыслами.

Ю. Н. Шабуров со ссылкой на Н. Н. Степанова, занимавшегося в те годы в Московской шахматной секции Дворца спорта «Крылья Советов» у мастера А. И. Рабиновича, рассказывает, что в 1938—1940 гг. Алехин в письмах к Рабиновичу рассказывал о своей жизни за границей, жаловался на одиночество и признавался, как надоело ему скитаться, как хочется домой в Россию. Он даже будто бы просил Рабиновича похлопотать о разрешении ему вернуться, что выглядит несколько странно. Особенно, если помнить, что Алехин был хорошо знаком с Куприным и не мог не знать, как действовал писатель, к кому обращался, чтобы уехать из Франции в СССР. Хлопоты Рабиновича не увенчались успехом, что совершенно неудивительно. Вряд ли мастер Рабинович, пусть даже чемпион Москвы, но все же простой бухгалтер, мог запросто обратиться в структуры, ведающие разрешением на въезд в СССР эмигрантов. Дело Куприна решалось голосованием Политбюро, с ведома и согласия Политбюро было опубликовано в «Известиях» письмо Алехина. Так как же простой бухгалтер мог похлопотать о разрешении Алехину вернуться? Его хлопотами Алехина могли разве что прописать в московской квартире Рабиновича. Сложно представить, что сам Алехин не понимал этого.

А вскоре ситуация изменилась настолько, что о любой поездке в СССР пришлось забыть. В конце августа началась Восьмая шахматная Олимпиа-

«АЛЕХИН СООБРАЖАЛ БЫСТРО, РАДОСТЬ ПРОМЕЛЬКНУЛА У НЕГО В ГЛАЗАХ — ОН ПОНИМАЛ, ЧТО СЫГРАТЬ С СОВЕТСКИМ ШАХМАТИСТОМ НА ПЕРВЕНСТВО МИРА НАИБОЛЕЕ ПРОСТОЙ, А БЫТЬ МОЖЕТ, И ЕДИНСТВЕННЫЙ ПУТЬ К ПРИМИРЕНИЮ С РОДИНОЙ».

да, проходившая в 1939 г. в Буэнос-Айресе. В итоге команда Франции, возглавляемая Алехиным, не заняла призового места, отличился Алехин иначе. Во-первых, его личное выступление было прекрасным. Во-вторых, едва начался финальный турнир, как из Европы пришла страшная новость: Германия напала на Польшу, Англия объявила Германии войну. Соревнования оказались под угрозой срыва, поскольку английская сборная покинула Буэнос-Айрес. Многие делегации требовали исключения сборной Германии. Однако организаторы на такой шаг не пошли, но согласились с Алехиным, который тоже не остался в стороне от начавшегося хаоса и, выступив по радио и в прессе, предложил бойкотировать немецкую команду. Его призыву вняли, но немцев наказали довольно мягко — немецкой команде без игры засчитали технические ничьи, а Франции и Польше, которые должны были играть с Германией, но не играли, засчитали по два очка. Сборная Палестины также отказалась играть против сборной Германии. На этом бойкот немцам закончился, и шахматисты — возможно, с чувством выполненного долга — продолжили соревнования. Но поскольку Олимпиада все равно завершилась победой сборной Германии, бойкот оказался своеобразным гандикапом.

И в-третьих, во время Олимпиады внимание к Алехину было приковано еще и потому, что Капабланка при поддержке Аргентинской шахматной федерации снова попытался вызвать его на матч-реванш. Но на сей раз Алехин заявил, что, как военнообязанный, отправляется защищать Францию. Впоследствии, уже в разгар войны, они предприняли еще одну попытку встречи. Алехин, мечтая выбраться из полыхающей Европы, предложил провести матч в Южной Америке. 23 июля 1940 г. кубинский консул во Франции сообщил телеграммой в Гавану, что Алехин просит въездную визу на Кубу для проведения состязания с Капабланкой. Кубинский гроссмейстер выразил тогда же стремление помочь Алехину покинуть Европу. Обратившись к правительству Кубы, Капабланка подробно изложил свое видение проведения матча и даже предлагал правительству оплатить Алехину проезд на Кубу и выдавать на время матча денежное довольствие в размере 15 долларов для Алехина и 10 — для себя. Что касается призового фонда, его Капабланка тоже не забыл, считая, что 15 000 долларов будет вполне достаточно.

Возможно, если бы оба гроссмейстера могли, с учетом сложившейся в мире ситуации, несколько умерить аппетиты и провести, по случаю мировой войны, матч с минимальным призовым фондом, то, как знать, быть может, судьбы обоих сложились бы иначе, а мир увидел бы еще одну красивую партию двух лучших шахматистов планеты. Быть может, встреться они, и Капабланка не умер бы раньше срока, пятидесяти четырех лет отроду; а Алехин, быть может, не ввязался бы в историю, с последствиями которой разбираться ему пришлось до конца дней своих. Но кубинское правительство отказалось финансировать как матч с его призовым фондом, так и приезд Алехина на Кубу.

3
ЭНДШПИЛЬ

Выиграв после Олимпиады в Буэнос-Айресе турниры в Монтевидео и Каракасе, чемпион мира сел на пароход, отплывающий в Европу. И в январе 1940 г. его встречали в Лиссабоне. Португальский мастер Франсишку Люпи вспоминал потом на страницах журнала «Chess world» от 1 сентября 1946 г.: «Туманным февральским утром, если мне не изменяет память, мы все отправились к причалу встречать корабль, на котором Алехин прибыл из Буэнос-Айреса, где он возглавлял французскую команду во время «Матча наций». Даже до того, как корабль пришвартовался, мы заметили на верхней палубе высокого улыбающегося блондина, держащего на руках двух котят». Алехин поселился в Эшториле в гостинице «Палас» и пробыл в Португалии около трех недель. Вскоре после его отъезда Люпи получил от него письмо, в котором Алехин сообщал, что в чине лейтенанта вступил во французскую армию переводчиком. Но воевала Франция недолго. 10 июня 1940 г. немецкие войска пересекли франко-бельгийскую границу, 14 июня был оккупирован Париж, а 22 июня Франция капитулировала, и вскоре оказалась разделена на оккупированную зону и «свободную» под контролем правительства Виши. Алехин, на момент капитуляции находившийся в Аркашоне, то есть на юге оккупированной территории, отправился не в «свободную» зону, а на север, занятый немцами. Вполне возможно, это было связано с желанием Грейс Висхар-Алехиной попасть в свой замок в Нормандии. Сам гроссмейстер не добрался до Дьепа, где находилась недвижимость его супруги, и осел в Париже. И с этого момента госпожа Удача окончательно покинула Александра Алехина, предоставив своего вчерашнего любимца самому себе и произволу судьбы.

А началось все с появления в марте 1941 г. в немецкой газете «Pariser Zeitung» цикла статей[1] под общим названием «Арийские и еврейские шахматы», посвященных исследованию гроссмейстером разницы между игрой шахматистов еврейского и нееврейского происхождения. Впрочем, англичан Алехин тоже отнес к еврейской, а, точнее, к англо-еврейской группе. Те же самые статьи появились в конце марта — начале апреля в издании «Deutsche Schachzeitung», летом и осенью статьи выходили в английском журнале «Chess», там же большой отрывок был помещен в начале 1946 г. Несмотря на все свои предыдущие высказывания и публикации, в этих статьях (или статье) Алехин резко критиковал шахматистов-евреев (Стейница, Ласкера, Нимцовича, Рети, Решевского, Рубинштейна, Файна, Флора) за склонность будто бы к защитной, тактической игре в противовес

---

[1] Некоторые исследователи считают, что это одна статья, состоящая из шести частей. Однако это обстоятельство принципиального значения не имеет.

игре наступательной, стратегической, свойственной шахматистам-арийцам, таким как Андерсен, Морфи, Чигорин, Пильсбери, Капабланка, Боголюбов и др. Досталось заодно и Эйве, которого чемпион мира объявил связанным с еврейским заговором. Особняком Алехин выделил советскую шахматную школу, внутри которой шахматисты-евреи — Ботвинник, например — переставали быть пассивными тактиками.

Этими публикациями Алехин навредил только самому себе. И едва закончилась война, ему тут же припомнили попытку применить расовую теорию к шахматам. Но в то время Алехин уже отрекся от авторства злополучных публикаций. Забегая вперед, приведем здесь письмо чемпиона мира У. Хаттон-Уорду — организатору лондонского турнира 1946 г., в участии в котором Алехину было отказано. О причинах отказа мы поговорим позже, а пока рассмотрим письмо гроссмейстера:

«Уважаемый господин Хаттон-Уорд. Я получил Ваше письмо <...> 28 ноября (1945 г.). Прежде, чем я узнал о его содержании, я не мог ничего предпринять, поскольку не имел ни малейшего представления о причинах, приведших к отмене сделанного мне приглашения. Но теперь я могу и должен ответить: и даже не столько в связи с организованным Вами турниром, каким бы заманчивым ни представлялось мне участие в нем, сколько ввиду еще более важных причин.

Первое из того, о чем Вы меня информировали, — это то, что некоторые круги возражают против моего участия из-за голословно приписываемых мне симпатий к фашистам во время войны. Сегодня любой человек, не ограниченный предубеждениями, способен понять, каковы мои истинные чувства по отношению к людям, лишившим меня всего, что составляет ценность жизни: они разрушили мой дом, разграбили замок моей жены (а значит, и все, чем я обладал) и, наконец, украли мое честное имя!

Посвятив свою жизнь шахматам, я никогда не принимал участия в чем-либо, не имеющем прямого отношения к моей профессии! К сожалению, в течение всей моей жизни, особенно после моей победы в чемпионате мира, моим действиям присваивали политический характер, что является полным абсурдом. Около двадцати лет я ношу прозвище «белого русского», что для меня особенно больно, так как этот факт сделал невозможным любой мой контакт с моей Родиной, которой я всегда восхищался и никогда не переставал любить.

И наконец, в 1938/39 годах я надеялся, что в результате моих переговоров и переписки с чемпионом Советского Союза Ботвинником, этим выдумкам будет положен конец — ведь вопрос об организации в Советском Союзе нашего матча был практически решен. Но началась война, и вот я здесь после ее окончания, заклейменный унизительным эпитетом «пронацист», обвиняемый в пособничестве и т. д., и т. п.

В любом случае, на Вас я не в обиде, я благодарен Вам за то, что Вы спровоцировали эти обвинения, поскольку неопределенная ситуация, в которой я жил последние два года, была, в конце концов, морально невыносимой.

Меня не удивляет протест доктора Эйве, меня удивило бы обратное. Все потому, что чудовищными высказываниями, опубликованными в «Pariser Zeitung», были оскорблены и члены оргкомитета матча 1937 года; Голландская федерация направила протест господину Посту[1]. В то время я не мог сделать то, что должен был сделать: ЗАЯВИТЬ О ТОМ, ЧТО ЭТИ СТАТЬИ БЫЛИ НАПИСАНЫ НЕ

---

[1] Президент Немецкой шахматной федерации.

МНОЙ. Доктор Эйве был настолько убежден в моем влиянии на нацистов, что написал мне два письма, в которых просил меня сделать что-нибудь, чтобы облегчить страдания бедного Ландау и моего друга, доктора Оскама. Дело в том, что в Германии и в оккупированных странах мы находились под постоянным наблюдением гестапо и под угрозой быть отправленными в концентрационные лагеря. Поэтому реакция д-ра Эйве на приглашение, адресованное мне, является нормальной, но, как и в случае с многими другими, совершенно ошибочной.

Основной причиной, побудившей Вас аннулировать мое участие, является «ультиматум», как я его называю, Американской шахматной федерации. Это серьезный вопрос, поскольку данные господа приняли решение на основании причин, которые, по их мнению, являлись достаточным обоснованием для такой позиции. На данный момент мне точно неизвестны эти причины, но я предполагаю, что они имеют отношение к обвинению меня в пособничестве нацистам. Термин «пособник», в целом, используется против тех, кто официально или иным путем действовал в соответствии со взглядами правительства Виши. Но я никогда не имел ничего общего ни с этим правительством, ни с его представителями. Я играл в шахматы в Германии и в оккупированных странах, потому что это было нашим единственным средством пропитания, это также стало ценой, которую я заплатил за свободу моей жены. Возвращаясь мысленно к тому положению, в котором я находился четыре года назад, я смело могу утверждать, что поступил бы точно так же. В обычное время моя жена, конечно же, имела бы средства и необходимый опыт, чтобы позаботиться о себе, но никак не во время войны, находясь в лапах нацистов. Я повторяю, если обвинение в пособничестве основывается на моем вынужденном пребывании в Германии, мне больше нечего добавить — моя совесть чиста.

Другое дело, что эти голословные обвинения, направленные против меня, основаны на статьях, опубликованных в «Pariser Zeitung». Я категорически протестую против этого. В течение трех лет до освобождения Парижа я был вынужден молчать. Но при первой же возможности в интервью я попытался расставить факты по местам. В тех статьях, которые были опубликованы в 1941 году, во время моего пребывания в Португалии, и о которых я узнал в Германии из «Deutsche Schachzeitung», НЕТ НИЧЕГО, ЧТО БЫ БЫЛО НАПИСАНО МНОЙ.

Материалы, которые я предоставил, относились к необходимой реконструкции Международной шахматной федерации с критической оценкой теорий Стейница и Ласкера, написанной задолго до 1939 года.

Я был очень удивлен, когда получил письма от Хельсуса (Helsus) и Стругиса с отчетом о реакции, которую эти исключительно технические статьи вызвали в Америке, поэтому ответил Хельсусу[1].

Только когда я узнал о глупости, исходящей из мозга, начиненного нацистскими идеями, я понял, во что угодил. В то время я был пленником нацистов, и моим единственным шансом на выживание было хранить молчание перед всем миром. Те годы уничтожили мое здоровье и мои нервы, и меня удивляет, что я еще в состоянии хорошо играть в шахматы.

Преданность, которую я посвящаю моему искусству, и уважение, которое я всегда высказывал по отношению к таланту моих коллег, иными словами, вся моя профессиональная карьера до войны, должны побудить людей думать о том, что фантазии «Pariser Zeitung» есть не что иное, как фальшивка. Я очень сожалею о том, что не могу поехать в Лондон, чтобы лично подтвердить все вышеизложенное.

---

[1] Настоящее имя Хельмс (Helms), издатель «American Chess Bulletin».

Прошу меня простить за столь растянутое письмо, копии которого я посылаю в Английскую и Американскую шахматные федерации.

Искренне Ваш, А. Алехин

Мадрид, 6 декабря 1945».

Итак, Алехин категорически отвергает свое авторство и утверждает, что смог ознакомиться со статьями уже после того, как они были опубликованы. Во время войны он попросту опасался возмущаться подлогом, поскольку и он сам, и его жена находились под наблюдением гестапо. В любом случае, в условиях оккупации искать правды у оккупантов — дело бессмысленное и бесперспективное. Именно поэтому все разбирательства были оставлены им на послевоенное время, до тех пор, пока не падет нацистский режим. Кроме этого письма организатору турнира в Лондоне, Алехин отрицал свою причастность к статьям и в интервью. Впервые он заговорил вскоре после освобождения Парижа в 1944 г. В декабре 1944 г. журнал «British Chess Magazine», а в январе 1945 г. журнал «Chess» опубликовали со ссылкой на материал в испанском издании «News Review» от 23 ноября 1944 г. заявление Алехина о непричастности к статьям в «Pariser Zeitung». Алехин возмущенно опровергал обвинения в связях с нацистами. Участие в немецких шахматных турнирах и публикации в нацистских СМИ он объяснил принуждением и сказал, что статьи, искаженные впоследствии немцами, написал ради выездной визы из Франции.

Журнал «Chess» как будто с облегчением выдохнул по этому поводу: «Мы всегда придерживались позиции, что Алехина нельзя заклеймить как нацистского пособника, не дав ему возможности защитить себя. И мы никогда не чувствовали, что имеем право критиковать Алехина за участие в немецких шахматных турнирах, когда он жил в странах, оккупированных фашистами. <...> Керес тоже играл в них, а Эйве провел матч с Боголюбовым в Карлсбаде в 1941 г.».

В феврале 1945 г. в американском журнале «Chess Review» появилась заметка «Алехин объясняет свое поведение во время войны». В заметке говорилось, что чемпион мира наконец-то дал разъяснения поступкам, из-за которых многие начали думать о нем как о нацистском пособнике.

Однако уверения чемпиона мира не были приняты без возражений. По сей день среди исследователей и любителей шахмат ведутся споры о том, писал или не писал Александр Алехин скандальные статьи для «Pariser Zeitung». Например, Ю. Н. Шабуров считает, что измышления о сотрудничестве Алехина с немецкими властями через «Pariser Zeitung» нелепы. Однако, как видно из письма Алехина организаторам турнира в Лондоне, сам он не отрицает сотрудничества, но объясняет его необходимостью и своим тяжелым положением во время войны. Алехин пишет, что его статьи были кем-то грубо перевраны. И Шабуров, очевидно, имея в виду более раннее исследование П. Морана, делает предположение, что тексты Алехина исказил редактор «Pariser Zeitung» Т. Гербец — «ярый нацист и антисемит». Однако, если Ю. Н. Шабуров основывается на книге П. Морана, то он явно недоговаривает, потому что Моран действительно указывает на сходство взглядов Гербеца и Алехина, сравнивая написанное в разное время одним и другим. Но вывод из этого делается иной: не Гербец правил Алехина, а сам Алехин воспользовался выкладками Гербеца для своих целей. Кроме того, Алехин не мог не знать Гербеца, если тот работал в журнале «Pariser Zeitung». Однако в письме к Хаттон-Уорду, заявляя, что его материалы, предоставленные к печати в 1941 г., «относились к необходимой реконструкции Международной шахматной федерации с критической оценкой теорий Стейница и Ласкера, написанной задолго до 1939 года», он ни словом не обмолвился ни о том, кому передал эти материалы, ни о том, кто мог бы их исказить. Ни имени Гербеца, ни чьего бы то ни было другого имени — что подтвердило бы его слова и придало бы им достоверности — он не назвал.

В интернете можно встретить мнение, будто теоретик и историк шахмат, международный мастер по шахматам, автор многочисленных книг по истории шахмат В. Д. Чащихин сумел убедительно опровергнуть приписываемое Алехину авторство «Арийских и еврейских шахмат» и доказать, что на самом деле статьи (статья) гроссмейстера были посвящены совсем другому предмету. Но о творчестве мастера Чащихина, как человека весьма активного и пытавшегося повлиять на восприятие личности и наследия Алехина, мы поговорим особо. В данном разделе касаться его изысканий мы не станем по причинам, которые укажем в свое время.

И все же, чтобы хоть немного разобраться во всей этой путанице, стоит прояснить по отдельности несколько принципиальных вопросов.

Прежде всего, необходимо уточнить, действительно ли статьи Алехина антисемитские, то есть отражающие отрицательное представление гроссмейстера о евреях, неприязнь и предубеждение к ним, основанные на религиозных или этнических предрассудках. Можно ли утверждать, что Алехин признает евреев, вслед за нацистами, низшей или неполноценной расой? Нет, ничего похожего в статьях Алехина читатель не найдет. Исключая название цикла статей и несколько действительно довольно грубых выражений, можно утверждать, что Алехин, скорее, говорит об особенностях менталитета евреев, испытавших влияние иудаизма, и тех, кто не испытывал подобного влияния. Он сравнивает подходы к шахматам разных народов, представителей разных культур. Именно с такой точки зрения Алехин утверждает, что для «арийских» шахмат характерна активная наступательная или стратегическая игра, а для «еврейских» — защита, выжидание, тактика. Для цикла его статей больше подошло бы название «Иудейские и христианские шахматы», поскольку он противопоставляет не столько евреев и неевреев, сколько, по сути, иудеев и христиан, а точнее, шахматистов, росших в иудейской или неиудейской среде, людей, в силу тех или иных причин, ставших носителями разных менталитетов.

Более того, слово «арийский» в контексте 1941 г. безоговорочно связано с немецким нацизмом, для которого упомянутые славяне Чигорин и Боголюбов уж никак не являются своими, арийскими. Напротив, они — представители низшей расы, подлежащей частично истреблению, а частично — обращению в рабов.

Вряд ли сойдет в этой связи за арийца и Капабланка. Но совершенно очевидно, что Алехин рассуждает не о расовой теории Гитлера и Розенберга.

То, что существует национальная психология и национальный менталитет, то есть особый способ мышления и склад ума, формирующиеся под влиянием национальной истории, религии и других, общих для большой группы людей обстоятельств, не подлежит никакому сомнению и никого не удивляет. Но ведь с такой позиции Алехин и рассматривал разные подходы к шахматам, исследование его ближе к этнопсихологии, чем к расовой теории нацистов. Евреи веками испытывали гонения и притеснения со стороны разных народов, в рассеянии еврейский народ занимался главным образом торговлей и ростовщичеством. Если прибавить к этому влияние иудаизма — религии, заметно отличающейся от более широко распространенного христианства, то вырисовываются уже вполне определенные особенности менталитета этого древнего народа. Алехину виделось, что такие особенности связаны с меркантилизмом и оппортунизмом, то есть соглашательством, а применительно к шахматам — защитой и выжиданием ошибок соперника. Стиль шахматной игры, связанный с менталитетом еврейского народа, оказал, по мнению Алехина, разрушительное в целом влияние, поскольку игнорировал художественную составляющую шахмат.

У каждого народа есть свои положительные и отрицательные черты. Выделив не самые симпатичные черты еврейского народа, Алехин уравновесил их утверждением, что «у этой нации так много одаренных сыновей во всех областях искусства». Пушкин написал о русских, что те «ленивы и нелюбопытны», но на этом основании нормальному человеку не придет в голову обвинять Пушкина в расизме и русофобии. Португальский мастер Р. Нашсименто, лично знавший Алехина, так отозвался о статьях: «Лично я не нашел в них ничего, что могло бы принизить людей, еврейский народ в целом». Это тем более верно, что Алехин особняком ставит советскую шахматную школу и еврея М. Ботвинника. На этот счет многие высказываются, что-де Алехин надеялся играть с Ботвинником, а потому пощадил его. Даже если это и так, то обособление Алехиным Ботвинника формально разрушает антисемитский характер статей. Кроме того, с арийской шахматной идеей Алехин связывает имена евреев Г. Мароци или Р. Харузека. Словом, вслед за португальским шахматистом и писателем Д. Марклом, можно воскликнуть: «Мы не верим, что Алехин мог быть убежденным нацистом». А, следовательно, и автором антисемитских пронацистских статей. И все же... И все же цикл статей с откровенно пронацистским заголовком был опубликован в нацистских СМИ. Но если отбросить это обстоятельство и убрать из текста несколько действительно некорректных выражений, то впечатление от статей останется совсем другое.

Итак, беспрекословно назвать статьи Алехина антисемитскими нельзя. А был ли он сам антисемитом? Если читать его работы, его комментарии к самым разным соревнованиям, то такое впечатление никогда не возникнет. Как можно назвать антисемитом человека, который откровенно признается коллегам-евреям в восхищении? «Я считаю для себя почти невозможным критиковать Ласкера — так велико мое восхищение им как личностью, художником и шахматным писателем. Я могу только установить, что Ласкер в свои 67 лет благодаря своей молодой энергии, воле к победе и невероятно глубокой трактовке вопросов шахматной борьбы остается все тем же Ласкером, если не как практический игрок, то как шахматный мыслитель. Ласкер должен служить примером для всех шахматистов как нынешнего, так и будущего поколений», — так Алехин писал в книге «Ноттингем 1936». С. Флор утверждал, что «Алехин был человек неожиданностей — и в жизни, и на шахматной доске». Флор был хорошо знаком с Алехиным, много с ним общался и знал, о чем говорил. Ведь это именно с Флором делился Алехин своей печалью, передавал с ним письма в СССР, едва ли не по-отечески помогал Флору — как, впрочем, и другим еврейским шахматистам, А. Лилиенталю или А. Денкеру, например — и в то же время мог сказать о Флоре В. М. Петрову: «Выиграй у этого жида!»

Нашсементо в португальском издании «Damiro de Odemira» опубликовал в 1999 г. воспоминания, где рассказал, что «Алехин говорил о Бернштейне в пренебрежительной форме, называя его «Толстым евреем». После этого и многого другого, как известно, он был обвинен в антисемитизме». Уже упомянутый выше О. О. Грузенберг в воспоминаниях, написанных до появления пресловутых статей Алехина — Грузенберг умер в 1940 г., — утверждал, что Алехин бывал еще до революции в Петербурге у его дочери, и в те времена кичился якобы своим черносотенством. Опять же довольно странная ситуация: ведь

А ФАКТЫ УПРЯМО
УКАЗЫВАЮТ НА ТО,
ЧТО АЛЕХИН
И ВПРЯМЬ БЫЛ
ЧЕЛОВЕКОМ
НЕОЖИДАННОСТЕЙ,
НЕ ПРИДАВАВШИМ,
ВЕРОЯТНО, ДОЛЖНОГО
ВНИМАНИЯ ВЕЩАМ
ДЛЯ МНОГИХ
СУЩЕСТВЕННЫМ.

со слов Грузенберга выходит, что молодой человек является к девушке-еврейке, чтобы похвастаться, будто он — антисемит. Но если представить, что Алехин кичился своим черносотенством где-то в другом месте, а до Грузенбергов просто доходили слухи, то опять же непонятно: зачем черносотенец ходит в гости в еврейскую семью?

Справедливости ради нужно вспомнить и другой эпизод, описанный самим Алехиным в тех самых статьях. Речь пойдет об А. Нимцовиче, с которым отношения у Алехина были довольно натянутые. Алехин писал: «Рижский еврей Аарон Нимцович относится скорее к эпохе Капабланки, нежели к эпохе Ласкера. На его инстинктивную антиарийскую шахматную концепцию странным образом — подсознательно и вопреки его воле — влияла славянско-русская наступательная идея (Чигорин!). Я говорю подсознательно, ибо трудно даже представить себе, как он ненавидел нас, русских, нас, славян! Никогда не забуду краткого разговора, который состоялся у меня с ним в конце турнира в Нью-Йорке в 1927 году. На этом турнире я его опередил, а югославский гроссмейстер проф. Видмар уже неоднократно побеждал его в личных встречах. Из-за этого он страшно злился, однако не посмел оскорблять нас непосредственно. Вместо этого он однажды вечером завел разговор на советскую тему, глядя в мою сторону, сказал: «Кто произносит слово «славянин», тот произносит слово «раб»[1]. Я ответил ему на это такой репликой: «Кто

---

[1] Английское слово «slave» переводится как «славянин» и как «раб».

произносит слово «еврей», тому к этому, пожалуй, нечего и добавить!» «Трудно в это поверить!» — восклицает С. Дудаков в книге «Парадоксы и причуды филосемитизма и антисемитизма в России» по поводу выпада Нимцовича. Но такой аргумент достоин чеховского героя, объяснявшего, почему на солнце не может быть черных пятнушек: «Этого не может быть, потому что не может быть никогда». Но, видимо, в отношениях Алехина с кем-то из еврейских коллег-шахматистов все-таки были «черные пятнушки», вызывавшие, возможно, обиды со стороны шахматного короля. Кстати, тот же Нимцович, зная, что фамилия Алехина пишется и произносится через «е», нарочно произносил не иначе, как через «ё», чем выводил гроссмейстера из себя.

Но как бы то ни было: невозможно с полной уверенностью утверждать, что Алехин был убежденным антисемитом. Для этого попросту нет достаточных оснований. Более того, когда после войны началась травля Алехина, за него вступился именно еврей С. Г. Тартаковер. Другой еврей — Б. Вуд, редактор британского журнала «Chess» — также пытался оправдать Алехина. Но если бы Алехин был антисемитом, на чем могло бы основываться хорошее отношение к нему Тартаковера или Вуда? Словом, опять нет никакой определенности, а факты упрямо указывают на то, что Алехин и впрямь был человеком неожиданностей, не придававшим, вероятно, должного внимания вещам для многих существенным.

Следующий вопрос, в котором нам предстоит разобраться: действительно ли Алехин писал эти статьи о еврейских и арийских шахматах. Или, как утверждают многие исследователи, его тексты были в той или иной степени искажены нацистами. Причем искажены до неузнаваемости. Но и здесь все имеющиеся данные весьма и весьма противоречивы. Публикации в «Pariser Zeitung» содержали много ошибок — орфографических, фактологических, неверно писались имена собственные. Это дало основания утверждать, что либо гроссмейстер, вынужденный сотрудничать с нацистами, делал эти ошибки намеренно, давая понять, что пишет не по доброй воле, либо тот, кто переписывал текст, писал с ошибками. Но Гербец, которого подозревают во вмешательстве, сам был шахматистам и сам писал о шахматах, поэтому грубые ошибки в его редактуре тоже выглядят странно. Предположить можно много чего. Например, что ошибки появились из-за неразборчивого почерка Алехина или что ошибок наделал наборщик текста. Но любое из этих предположений остается только предположением.

В справочниках «The Encyclopedia of Chess» и «The Oxford Companion to Chess» утверждается, будто после смерти вдовы Алехина в 1956 г. были найдены оригиналы статей гроссмейстера. В обоих случаях авторы ссылаются на Б. Рейли, который, к слову, отрицал впоследствии, что видел эти статьи.

Французский писатель Ж. Ле Моннье сообщил в 1986 г. французскому журналу «Europe Échecs», что перед своей смертью Грейс Висхар передала некому человеку тетради покойного мужа. И в 1958 г. сам Ле Моннье, имевший возможность ознакомиться с ними, обнаружил текст самой первой статьи, появившейся в «Pariser Zeitung» в марте 1941 г. Ле

Монье утверждал, что слово «еврей» было всегда подчеркнуто. Но Э. Винтер в «Chess Notes» обратил внимание, что в книге «75 партий Алехина» 1973 г. тот же Ле Монье поведал, будто «никогда не выяснится, писал ли Алехин эти статьи или им «манипулировал» редактор «Pariser Zeitung» — чешский игрок[1], хорошо известный в то время в парижских шахматных кругах». Винтер отмечает, что для человека, видевшего рукопись статьи Алехина, такое утверждение выглядит странно. В 1989 г. Ж. Ле Монье высказался уже на страницах голландского журнала «New in Chess». Он подтвердил написанное в «Europe Échecs» и заявил, что «записи Алехина — это личные документы, и французский закон категоричен в этом отношении. Они станут доступны общественности только шестьдесят лет спустя после смерти Алехина, то есть в 2006 г. Только тогда, если наследники Алехина и владельцы документов будут согласны, историки и исследователи смогут ознакомиться с ними». Заметим, что в 1990 г. французское законодательство изменилось, и по новому закону бумаги Алехина оставались недоступными до 1 января 2017 г. Однако по сей день ничего не слышно о публикации архивов гроссмейстера, а потому разного рода спекуляции продолжаются. Винтер по поводу якобы виденных многочисленными счастливчиками рукописей Алехина задался вопросом: почему ни сам чемпион мира, ни его жена не уничтожили эти рукописи, если они действительно существовали? С одной стороны, вопрос кажется справедливым, но, с другой зная безраз-

---

[1] Имеется в виду Т. Гербец.

личие Алехина ко всему, кроме шахмат, и его безучастность к тому, что в данный момент не касается его лично, удивляться не приходится.

Были и другие свидетели, косвенно подтверждавшие причастность Алехина к самой идее, выраженной в статьях. П. Моран обнаружил две публикации в испанских СМИ 1941 г. Незадолго до своего отъезда из Испании на мюнхенский турнир чемпион мира давал интервью. Газета «El Alcbzar» сообщила тогда, что Александр Алехин назвал себя первым исследователем, рассматривавшим шахматы с расовой точки зрения. В статьях, опубликованных в «Pariser Zeitung» и «Deutsche Schachzeitung», Алехин, с его собственных слов, «писал, что арийские шахматы были агрессивными шахматами, что он считал защиту исключительно следствием более ранней ошибки и что, с другой стороны, концепция семитов допускала идею чистой защиты, считая ее законной, чтобы победить таким образом».

Тогда же Алехин рассказал журналисту В. Гонсалесу из газеты «Informaciones» о своем намерении выступить с лекциями о развитии шахматной мысли. В лекциях будут рассмотрены арийский и еврейский подходы к шахматам.

Любопытно, что в 1941 г. в Португалии он действительно прочел курс лекций под названием «Истинные и ложные шахматы». В ноябре 1999 г. в Лиссабоне проходил IV Шахматный фестиваль. По случаю фестиваля в павильоне имени Карлуша Лопеш шахматной группой имени Алехина была организована выставка, где среди прочих экспонатов оказалась страница из рукописи курса лекций, прочитанных Алехиным в 1941 г. Владелец рукописи, не объясняя причин, представил публике только первую страницу документа, подписанную, кстати, Алехиным. Текст был написан по-французски и гласил: «Признаюсь, что недолюбливаю Стейница по двум причинам: 1) практически, он представитель меркантильного профессионализма в шахматах. Я объясню: существует два типа шахматного профессионализма, один состоит в жертве жизни воображаемому идеалу, без какой-либо выгоды, кроме службы этому идеалу, 2) другой пытается под предлогом этого идеала получить любую возможную выгоду. Стейниц был, несомненно, прототипом профессионала второго типа...»

А теперь сравним этот подписанный Алехиным отрывок с текстом одной из статей: «В любом жанре искусства — а шахматы, невзирая на то что в их основе лежит борьба, являются творческим искусством — существует два вида профессионалов. Прежде всего, это те, кто приносит своему делу в жертву все остальное, что дарует человеку жизнь, лишь бы иметь возможность посвятить себя предмету своей страсти. Таких «жертв искусства» невозможно осуждать за то, что они зарабатывают свой хлеб насущный тем, что является смыслом их жизни. Они в избытке дарят людям эстетическое и духовное наслаждение. Совсем иначе обстоит дело у другого, можно смело сказать, — «восточно-еврейского» типа шахматного профессионала. Стейниц, по происхождению пражский еврей, был первым из этого сорта и быстро, слишком быстро, создал свою школу».

В книге «Ноттингем 1936» Алехин написал: «По

сравнению с сильной и корректной игрой советского чемпиона (Ботвинника. — *С.З.*) другие молодые гроссмейстеры производят значительно меньшее впечатление. Файн, Решевский являются, без всякого сомнения, исключительными техниками, особенно, если принять во внимание их возраст. Однако у меня такое чувство (меня могут за это назвать старомодным), что в их игре чересчур много «делового» и недостаточно искусства».

Как видим, в основе лекций и статей — одна и та же мысль. В «Ноттингеме 1936» Алехин деликатно пеняет еврейским шахматистам на то же, на что довольно резко укажет в «Арийских и еврейских шахматах» — «сухая», деловитая игра, лишенная творческого начала, красоты и творческой виртуозности.

В 1956 г. в журнале «British Chess Magazine» был опубликован материал шахматиста и композитора В. Гильберштадта. Он вспоминал: «Как-то в начале войны дома у Алехина я был свидетелем такой сцены. Разговор шел о шахматах. Вдруг я услышал, как Алехин сказал: «Что касается Стейница и Ласкера, они оба были тактиками, старавшимися всех убедить в том, что стратеги». Эта шутка вызвала смех, в то время как Алехин оставался совершенно серьезным. Спустя несколько лет после смерти Алехина я, просматривая его статьи, нашел ту самую фразу, которая нас рассмешила тогда». В начале «Арийских и еврейских шахмат» есть такой пассаж: «Это было забавным зрелищем — наблюдать за обоими изощренными тактиками (Стейницем и Ласкером. — *С.З.),* которые пытались внушить шахматному миру, будто они являются великими стратегами и первооткрывателями новых идей!» И снова речь идет об одной и той же мысли.

В книге «Полная книга шахмат» И. А. Горовица и П. Л. Ротенберга есть примечание, относящееся к статьям Алехина. Авторы выражают благодарность переводчику статей А. Рату, сотруднику Публичной библиотеки Куинса (Нью-Йорк). «Господин Рат сказал нам, — пишут авторы книги, — <...> что статьи были «ядовитыми», «истерически бессвязными» и, в общем, напоминающими нелепые и панические визги гитлеровского «Майн Кампф». Господин Рат также добавил, что в переводе практически невозможно выделить клевету и мстительность, вплетенные в оригинале в паутину ложных выводов. Иными словами, все, что кажется разумным в переводе, на самом деле несколько завышает тон оригинала. Рат не нашел доказательств, указывающих на то, что статьи могли быть написаны более, чем одним человеком».

И, наконец, еще одно интересное и важное свидетельство. В российской печати бытует мнение, что американец А. Бушке путем сравнительного анализа статей Алехина разного времени доказал непричастность гроссмейстера к «Арийским и еврейским шахматам». Однако все не так просто, как могло бы показаться. Бушке, владевший некогда рукописью Алехина 1929 г., позже продал документ Кливлендской публичной библиотеке. Рукопись представляла собой серию статей, написанных гроссмейстером на немецком языке по поводу турнира в Карлсбаде в 1929 г. Бушке, сравнивший эти статьи с «Арийскими и еврейскими шахматами», пришел к интересному выводу, которым хотел поделиться с журналом «Chess». Но вышло совсем не то, на что он рассчитывал. В уже цитированном выше письме Ф. Мюру Бушке написал: «Когда я отправил в «Chess» параллельные версии заявлений Алехина (Карлсбад — 1929 г., Париж — 1941 г.), я сделал это в надежде, что их сравнение продемонстрирует, что Алехин особо не старался в 1941 г.: он просто-напросто написал «нет» там, где одиннадцать-двенадцать лет назад писал «да». Иными словами, представил в плохом виде то, что ранее им было подано в хорошем и наоборот. Обе версии, насколько я помню, очень похожи, и можно предположить, что если бы статьи были написаны другим человеком — а этот «другой человек», вероятно, был связан с пропагандистским аппаратом правительства Германии — то он должен был достать старые статьи 1929 года, опубликованные в «New York Times», чтобы затем превратить их в противоположную версию... Но это так маловероятно, что я всегда был уверен: Алехин (все еще имея на руках старую рукопись) просто добавил «nicht» в тех местах, где ранее им была сделана положительная или хвалебная оценка. Конечно, Вуд[1] полностью опустил этот момент... или намеренно исказил мои параллельные версии, чтобы найти оправдания и / или защиту для своего дорогого Алехина». Вуд действительно вместо публикации двух текстов Алехина предложил читателю нарезку из этих текстов, чем совершенно исказил идею Бушке, который именно по этому поводу и написал все

---

[1] Baruch H. Wood — основатель и глава журнала «Chess», еврейский друг Алехина.

тому же Мюру: «Бетховен, несомненно, был одним из величайших композиторов, но это не означает, что он был приятным человеком. Так почему нельзя признать, что Алехин был одним из величайших шахматистов, хотя человеком он был довольно скверным, что, я уверен, подтвердят все, кто был с ним знаком. Так для чего обелять его?..»

Итак, Алехин утверждал, что его исследование было грубо искажено немецким редактором и в таком виде напечатано несколькими изданиями. Но во время войны он же сообщил журналистам, что стал первым исследователем, рассматривавшим шахматы с расовой точки зрения. Опытный переводчик утверждает, что статьи написаны одним человеком. Несколько разных шахматистов в разное время слышали от Алехина те мысли, которые потом стали основой статей. Алехин читал в Португалии лекции, где также высказывал вошедшие в статьи идеи. Можем ли мы сомневаться, что он писал эти статьи? Пожалуй, единственное, в чем можно сомневаться, так это в степени стороннего вмешательства в оригинальный авторский текст. Но есть еще одно очень существенное обстоятельство. Мы уже отмечали, что материал мог бы быть достаточно нейтральным, если бы написан был чуть более корректно. Кроме того, откровенно неприемлемым стало название статей. Но когда гроссмейстер опровергал свою причастность к публикации в «Pariser Zeitung», он ни словом не обмолвился о названии. А ведь название получилось довольно броским, кроме того, именно название в первую очередь и отдает нацистским душком, именно с этим названием статьи и вошли в историю.

Логично предположить, что если бы Алехин написал нейтральное исследование под другим — нейтральным — заголовком, он не преминул бы сказать об этом, когда оправдывался перед шахматным сообществом. И все же, зная Алехина, делать из этого определенный вывод нельзя.

В 1992 г. в журнале «JAQUE» появилось интервью испанского шахматиста и друга Алехина М. Ди Агустина. Об авторстве статей испанец сообщил: «Я считаю, что основа статьи написана им, но не сомневаюсь, что текст подвергся грубой манипуляции со стороны редакторов газеты. Статьи наделили прогерманским характером, не присущим такому славянину, как Алехин; как он мог написать хвалебную песнь арийским шахматам, прекрасно зная, что нацисты думают о славянах? <...> Я считаю, что Алехин написал некоторые статьи, которые затем были изменены и искажены нацистской пропагандой». П. Моран приводит и другие слова Де Агустина о русском гроссмейстере: «Я уверен, что окажись он в какой-нибудь мусульманской стране, стал бы выигрывать и там — загоревший и облаченный в сандалии». Этому утверждению вторит и сам Моран: «главным для него была возможность играть: а против кого, как или где, было совершенно не важно».

Возможно, прав и переводчик А. Рат, считавший, что статьи писались одним человеком. А ядовитость и истерическая бессвязность могли объясняться не чем иным, как алкоголизмом, который, также, по свидетельству его знакомых, прогрессировал в то время. Это опять же не может быть утверждением, это всего лишь предположение.

Существует такое явление, как алкогольный психоз. То есть расстройство психики, развивающееся после длительного злоупотребления спиртным. Изменения в сознании происходят постепенно и не связаны с опьянением — даже будучи трезвым, человек испытывает симптомы болезни. Есть разные виды алкогольного психоза. Например, человек может переживать навязчивые идеи и, подчиняясь своему бреду, совершать странные, с точки зрения окружающих, поступки, в том числе и поступки, причиняющие вред самому больному и окружающим. «Еврейский заговор» вполне мог стать той самой навязчивой идеей Алехина, бредом, заставившим несчастного гроссмейстера написать загадочные и малопонятные статьи. Возможно, его критические идеи и наблюдения за игрой представителей разных культур, наложившись на бредовые мысли, вылились в агрессию и недовольство по отношению к тем, кого он ощущал своими обидчиками или обидчиками шахмат. Так родились по сей день необъяснимые тексты. Особенно, если учесть, что раньше гроссмейстер писал совершенно другое, иногда с точностью до наоборот. В жизни шахматного короля было неспокойно, одна необъяснимая странность сменяла другую.

В апреле 1941 г. португальская газета «Revista Portuguesa de Xadrez» сообщила своим читателям, что «португальским шахматистам вновь выпала честь встретиться с чемпионом мира. Мы до сих пор помним все удивительные партии, сыгранные гроссмейстером Алехиным в Португалии в прошлом году и ставшие ярким доказательством его великолепной подготовки. Выступления мастера всегда отмечены его неоспоримым талантом и широкой эрудицией». В апреле Алехин прибыл в Португалию, где пробыл до сентября. Скорее всего, в это время он вел переговоры о проведения матча с Капабланкой и, вероятно, хотел получить визу на Кубу или в любую другую американскую страну, чтобы уехать из Европы. Странность же заключалась в том, что, как мы помним из письма гроссмейстера Хаттон-Уорду, Алехин волновался в это время о жене, замок которой был разграблен, а сама она больна. Но в Португалию — скорее всего, хлопотать об американской визе — он приехал один. Грейс Висхар в то же время отправилась в Дьеп хлопотать о разграбленном имуществе. Но что она могла сделать против грабивших ее замок немецких войск — непонятно. Получилось почти как в песне: «Дан приказ: ему — на запад, ей — в другую сторону». Сложно понять и то, почему Алехин, тревожившийся за жену, не поехал в Дьеп вместе с ней или не увез ее с собой в Лиссабон. Особенно если учесть, что он хлопотал о визе в Южную Америку. И что было бы, получи он визу? Вернулся бы в Дьеп за женой? А может, из Португалии полетели бы в оккупированную немцами Нормандию телеграммы? Едва ли. Скорее всего, он в одиночестве отправился бы на американский континент и остался бы там.

А пока гроссмейстер проводит сеансы одновременной игры в Высшем техническом институте и в шахматной группе Лиссабона, выступает с докладом на тему «Истинное и ложное в шахматах», к концу лета дает сеансы одновременной игры в казино городка Эшпинью.

Ю. Н. Шабуров пишет, что «в связи с разрывом отношений между США и Германией, Грейс Висхар как американскую гражданку могли подвергнуть репрессиям. Обеспокоенный Алехин вынужден был обратиться в представительство Германии в Лиссабоне, где ему пообещали оградить жену от преследований, но опять предъявили условие — предложили участвовать в соревнованиях, организуемых «Шахматным союзом Великой Германии». И все бы так и было, если бы не одно «но». Дело в том, что США и Германия поддерживали дипотношения до второй декады декабря 1941 г., то есть до тех пор, пока 11 декабря Германия не объявила США войну. Значит, исходя из написанного Шабуровым, Алехин мог обратиться в немецкое представительство в декабре 1941 г. Однако этого быть не могло по той простой причине, что 2 сентября 1941 г. гроссмейстер уже покинул Португалию и выехал в Испанию, где дал вышеупомянутые интервью о взгляде на шахматы с расовой точки зрения, а 3-го и 4 сентября провел два сеанса одновременной игры в Royal Madrid Club и в мадридском казино.

С 8-го по 21 сентября он участвовал в мюнхенском турнире, где занял второе место, в октябре одержал победу в турнире Кракова, а в декабре стал победителем турнира имени самого себя, проводившегося в Мадриде. В Испанию он вернулся в конце ноября, где провел в столице два сеанса одновременной игры. А после «Турнира Алехина» давал сеансы в Малаге, Севилье, Кордове, Витории и Сан-Себастьяне. Если же гроссмейстер обратился в немецкое представительство до декабря, иными словами, до разрыва дипломатических отношений США с Германией, то не очень понятно — зачем, и не проще ли было бы не разъезжаться с женой в разные стороны, ведь уезжал он не на фронт.

Несмотря на то, что война была уже в самом разгаре, а немецкие полчища только-только отброшены от Москвы, 1942 г. оказался для шахматного короля весьма насыщенным с точки зрения участия в соревнованиях. Надо сказать, что титул «короля шахмат» подходил Алехину как никому другому. Он и в самом деле жил и господствовал в какой-то своей стране — стране шахматных фигур и чернобелых клеток. Человек не от мира сего, но от мира шахмат, где не бывает войн и революций, где представления о добре и зле несколько отличаются от обычных, человеческих; где суета мирская и вековечные выяснения отношений не имеют никакого значения. Когда-то он хотел стать российским дипломатом и шахматистом, но судьба, грубо вмешавшись, оставила ему только шахматы. Не имея другого выбора, он смирился, и с тех пор шахматы стали его жизнью. Это отметили Набоков, Ди Агустин, Моран и другие люди, кто сумел понять этого странного и временами необъяснимого человека — «главным для него была возможность играть: а против кого, как или где было совершенно не важно». Да, в Европе полыхала война; в концлагерях гибли красноармейцы, евреи, антифашисты; ленинградцы умирали в блокаде, а в это время Александр Алехин побеждает на турнирах Зальцбурга и Мюнхена, Кракова и Праги, на сеансах одновременной игры с немецкими офицерами. Мог ли он не играть — сказать сложно, ведь шахматы и в самом деле давали ему средства к существованию и гарантировали безо-пасность ему и его жене.

В романе «Белые и черные» А. А. Котов описал эпизод, когда Алехин, игравший с немецким генералом, несколько раз разворачивал доску, меняясь с противником позициями, и несколько раз генерала обыгрывал. «... — Я грубо ошибся, — сказал генерал Алехину. — Сыграй я... — генерал посмотрел на бланк, где он записывал ходы, — сыграй я ферзем на дэ-пять вместо эф-пять, вам было бы плохо.

— Вы так считаете? — спросил Алехин.

— Это элементарно! — продолжал генерал. — А тут что ж, — показал он на свою позицию, в которой сдался. — Моя позиция безнадежна. Летит ферзь, я сдался вовремя.

Алехин присел на стул напротив генерала.

— Хорошо, — решительно произнес он. — Вы говорите, безнадежна. Играйте.

И он перевернул на сто восемьдесят градусов доску. Теперь ему достались черные фигуры. В положении, где немец сдался, Алехин сделал хитрый ход конем. Выяснилось, что ферзя брать нельзя, в этом случае белые получили бы мат. Генерал схватился руками за голову. Ничего себе положение! Такой срам — сдался в позиции, где еще можно было сопротивляться. Он долго думал, выискивая способ победить, доказать этим свою правоту и неправоту Алехина. Но что он мог сделать против такого шахматиста. Прошло три хода, четыре, и теперь уже позиция белых стала незащитимой. Алехин, взявшись за безнадежное дело, одержал верх.

— Сдаюсь, — пролепетал генерал. — Неизбежен мат в два хода.

— Играйте, — приказал Алехин, вновь перевернув доску и взяв себе белые фигуры. Умелым ответом он ликвидировал угрозы неприятеля — мата не получалось, — и затем в несколько ходов сам заматовал черного короля. Офицеры, стиснув зубы, чтобы не рассмеяться, следили за посрамлением самоуверенного начальника...» Эта сцена вошла и в фильм Ю. М. Вышинского «Белый снег России» (1980), и по сей день воспринимается как реальное событие из жизни шахматного короля, ставшее настоящей легендой. И несмотря на то, что сцена выдумана Котовым, воспринимается она совершенно органично и естественно, поскольку верна по сути, в художественной форме отображая возможности и пределы Алехина.

В декабре 1942 г., находясь в Праге, он заболел скарлатиной и даже угодил в больницу. Вроде бы проходной эпизод, какое-то детское заболевание. Однако стоит на этом остановиться подробнее. Скарлатина — инфекционное заболевание, возбудителем которого считается патологический микроорганизм из семейства стрептококков, выделяющий в организме человека опасные токсины. Заболевание у взрослых может протекать тяжело и давать осложнения, среди которых — синуситы или отиты, а также нарушения в работе иммунной системы, гломерулонефрит (заболевание почек, проявляющееся, в частности, повышением артериального давления), ревматизм, эндокардит, миокардит. Последние два заболевания относятся к болезням сердца и могут развиться не только после скарлатины, но и на фоне того же ревматизма или алкоголизма, который, как известно, вообще не лучшим образом сказывается на сердце.

1945 г. стал
для непобедимого
Александра Алехина
последним годом
активной
шахматной игры
и годом больших
разочарований.

Кроме того, эндокардит и миокардит могут привести к внезапной смерти. Например, эндокардит, то есть воспаление внутренней оболочки сердца, до появления антибиотиков широкого спектра действия в большинстве случаев заканчивался летальным исходом. Даже и сегодня прогноз не на 100% благоприятный. Смерть может наступить от сердечной или почечной недостаточности, закупорки сосуда тромбом, интоксикации. Миокардит, или воспаление сердечной мышцы, также приводит к сердечной недостаточности, аритмии, могущими стать причиной внезапной смерти. Прибавим к этому, что Алехин не был любителем врачебных осмотров и не отказывал себе в спиртном.

Это небольшое отступление впоследствии пригодится нам. А пока вернемся в 1943 г.

Поправившись, Александр Александрович принял победоносное участие в весенних турнирах Зальцбурга и Праги. С лета начал сотрудничать в русском журнале «Новое Слово», выходившем в Берлине.

В октябре проходил турнир в Мадриде, куда Алехин был приглашен. Выехав из Праги в Париж, он ждал выездные визы для себя и Грейс Висхар. Но визу получил только он, жене было запрещено покидать Париж. Самого гроссмейстера виза обязывала вернуться во Францию после мадридского турнира. Однако Алехин, оставив жену в Париже, к ней уже больше не вернулся. Если учесть, что Грейс Висхар была еврейкой, то поступок Алехина кажется вдвойне странным — ведь с предоставленной самой себе в оккупированной Франции супругой гроссмейстера могло случиться все, что угодно. И заступиться за нее было бы некому.

К слову, многие объясняют его сотрудничество с нацистами стремлением спасти жену-еврейку от возможных преследований. Но на оккупированную территорию вместе с женой Алехин въехал добровольно в 1940 г., возвращаясь из Южной Америки. А как объяснить в этом случае, что в 1941 г. Грейс Висхар одна, без мужа-защитника отправилась отстаивать свой замок от посягательств немецких военных, стоявших в Нормандии? Или его нежелание возвращаться в оккупированную Францию из Испании в 1943 г., когда Грейс Висхар не могла последовать за ним и оказалась фактически брошенной в оккупированной немцами Франции? То есть желание защитить жену то и дело оборачивается полной своей противоположностью, зато связи с нацистами никуда не исчезли. Нелепо было бы обвинять Алехина в убийствах и преступлениях против человечества, неправильно вслед за Вайнштейном повторять, что у Алехина руки по локоть в крови, но факт общения с оккупантами никуда не спрячешь.

Он появился в Мадриде к концу турнира. Поздний приезд гроссмейстера сегодня толкуется разно. Одни исследователи связывают это опоздание с нежеланием Алехина больше участвовать в турнирах, связанных с нацистами — а в Мадриде он должен был играть как представитель Германии; немцы в те годы распространили слух, будто начало турнира Алехин пропустил из-за пребывания в психиатрической лечебнице, где проходил курс детоксикации в связи с алкоголизмом. М. Ди Агустин считает, что в Мадрид Алехин нарочно «приехал поздно, поступив точно так же, как недавно в Париже, где для него был организован сеанс одновременной игры в штаб-квартире немецкой армии». П. Моран также считает, что Алехин попросту бойкотировал турнир в Мадриде. Но, по Морану, бойкот получился каким-то странным — не принципиальным отказом поддерживать отношения с нацистами, а попыткой избежать репрессий. Моран предполагает, что если Алехин сыграл турнир и после этого не вернулся бы во Францию, немцы могли бы потребовать его экстрадиции. А так они расценили его задержку в Испании как попытку избежать репрессий за отсутствие на турнире. Предположение, надо сказать, слишком гипотетическое. Как и версия Д. Маркла, уверенного, что после Сталинграда Алехин ждал скорого краха Германии, а потому старался развязаться с немцами, которые, в свою очередь, перестали им интересоваться. Мог ли Алехин, не очень-то интересовавшийся политикой и не слишком-то разбиравшийся в военных премудростях, понять в 1943 г., что конец Германии близок? Вряд ли это похоже на правду. Скорее всего, он просто воспользовался первой же возможностью, чтобы из Испании или Португалии вновь попытаться получить визу в любую из стран американского континента.

Как бы то ни было, Алехин действительно не хотел возвращаться во Францию, при том, что в Испании, где он остался по окончании мадридского турнира, жизнь его протекала нелегко, поскольку добывать свой кусок хлеба становилось все труднее. Специально ради чемпиона мира в Испании было организовано несколько турниров, где он мог бы заработать. Кроме этого, он давал уроки испанскому вундеркинду

А. Помару и почти постоянные сеансы одновременной игры. Испанские издатели, в том числе и М. Ди Агустин, помогли ему с изданием книг «На пути к высшим шахматным достижениям» и «Шахматное наследие». Одновременно Алехин был советником журнала «Ajedrez Espacol». В апреле 1944 г. он провел матч с чемпионом Испании Р. Ардидом, выиграв со счетом $2\,^1/_2$: $1\,^1/_2$, в июле занял первое место в хихонском турнире. После этих соревнований организаторы пригласили Алехина провести несколько дней в Хихоне, взяв все расходы на себя. Это предложение позволило ему передохнуть перед новым марафоном одновременной игры.

1945 г. стал для непобедимого Александра Алехина последним годом активной шахматной игры и годом больших разочарований. В феврале — марте он играет и побеждает в Мадриде, в июле занимает третье место в Хихоне, в августе побеждает в Сабаделе, а чуть позже занимает второе место в Альмерии. Кстати, в 1989 г. в испанском журнале «Revista Internacional de Ajedrez» была опубликована беседа журналиста Х.О. де Эчагуена с кубинским шахматистом, международным мастером Ф. Х. Пересом. Перес тогда рассказал, что во время сабадельского турнира Алехин получил письмо, чрезвычайно его расстроившее. Гроссмейстер поделился с молодым тогда Пересом, что письмо от его жены — Грейс Висхар, уведомлявшей о разрыве отношений с мужем.

Победу над фашизмом он встретил в Испании. К этому времени шахматный король был одинок, беден и болен. Моран так описал его состояние: «Это были дни горечи, неуверенности, борьбы за существование и, возможно, даже голода. Дни, когда гостиничный счет угнетал его разум и дух. Что же удивительного, что он утратил свое прежнее достоинство и приходил просить о сеансах игры, а друзей умолял оплатить его счет. Не раз доводилось слышать от шахматистов: «Алехин обходится дороже любовницы».

В сентябре 1945 г. Алехин снова выигрывает турнир — на сей раз в Мелилье, а ближе к Рождеству выступает в Касересе, уступив молодому португальцу Ф. Люпи, которому суждено было стать последним другом великого гроссмейстера. Турнир в Касересе тоже стал для Алехина последним.

Когда Люпи прибыл в Касерес в декабре 1945 г., Алехин поделился с ним, что получил из Лондона письмо от У. Хаттон-Уорда. В письме говорилось, что участие чемпиона мира в турнирах Лондона и Гастингса отменяется. Незадолго до этого письма Алехин получил от Британской шахматной федерации официальное приглашение играть в первых послевоенных турнирах, как вдруг приглашение было аннулировано. Организатор турнира объяснял, что американские шахматисты, а заодно с ними и М. Эйве, потребовали не пускать Алехина из-за его антисемитских статей и сотрудничества с немцами. В противном случае Эйве и Кⁿ пригрозили отказаться от участия. «Это настоящий ультиматум, и он не может быть проигнорирован», — писал Хаттон-Уорд. Действительно, в октябре 1945 г. Американская шахматная федерация направила Хаттон-Уорду яростный протест против участия Алехина в британском турнире. Американцы грозили бойкотом всем соревнованиям с участием Алехина, а закоперщиками выступали Эйве, Денкер,

Файн, упомянутые в злополучных статьях. Моран пишет, что Американская шахматная федерация заявила о несогласии оплачивать расходы на поездки игроков, не возражающих выступать на соревнованиях с участием Алехина.

Отказ стал для Алехина настоящим ударом, вызвавшим сердечный приступ. Гроссмейстер немедленно ответил организатору турнира в Британии, однако изменить ничего он не мог. Лондонский турнир проходил с 14-го по 26 января 1946 г. И все, что оставалось шахматному королю — попросить Люпи, участвовавшего в состязании, понаблюдать за известными игроками и попытаться выяснить, что происходит в шахматном мире. Люпи вспоминал впоследствии, что примерно за сутки до окончания турнира Эйве и Денкер созвали совещание по делу Алехина. Кроме двух этих активистов, в совещании участвовали сэр Дж. Томас, О. Бернштейн, С. Тартаковер, А. Медина, Дж. Абрахамс, Г. Стейнер и др. Собрание было довольно оживленным, и не все соглашались с позицией Эйве и Денкера. Ведь предлагалось заклеймить человека заочно, к тому же не за военные преступления, как могло бы показаться, а за профессиональную жизнь в условиях оккупации. Однако и Эйве, и Денкер вели себя спокойно и уверенно, сознавая всю ответственность, которую брали на себя. В конце концов решено было передать это дело ФИДЕ, а самому Алехину предложить явиться во Францию, чтобы дать все возможные объяснения в связи с выдвинутыми против него обвинениями. «Когда я вернулся в Лиссабон, — написал Люпи, — я увидел, что Алехин готов к такому поступку. Он немедленно запросил французскую визу. Но умер до того, как виза пришла».

Важно представить себе состояние Алехина в ту пору. Перенесенные болезни, бедность, сильнейшие потрясения и, как следствие, депрессия. Прибавим к этому алкоголизм, свидетелями чему стали многие знакомые гроссмейстера. Выше говорилось, что среди современных «защитников» Алехина бытует мнение, будто он не страдал от алкоголизма, а только притворялся выпивохой. Такие «защитники» не понимают простых вещей. Во-первых, Алехин — это не та фигура, которая нуждается в их защите, а потому обелять его действительно нет никакого смысла. Он все равно останется велик своими свершениями и своим талантом, выдающимся умом и личным масштабом. Во-вторых, нелепыми оправданиями «защитники» лишь делают гения смешным, низводя его до своего уровня. А в-третьих, они только мешают понять его личность и подлинные мотивы его поступков. Да, он пил, но ни в чьих оправданиях ни по этому поводу, ни по какому другому не нуждается.

Подтверждений тому, что он злоупотреблял, а не притворялся, достаточно много. Ботвинник в книге «У цели», вспоминая поездку на турнир в Гронингене, рассказал, что в поезде Флор спросил у голландских таможенников: «Кто будет первым в Гронингене?» На что последовал ответ: «Эйве». А как же Ботвинник? — удивился Флор. Что ж, быть может, и Ботвинник. Но если не будет пить — «после матча Алехин — Эйве в 1935 г. русские мастера имели в Голландии репутацию пьющих». Замечание это подтверждает также и то, что Эйве явно преуменьшал влияние алкоголя на исход игры с Алехиным.

Помимо уже сказанного выше, свидетелями этой болезни гроссмейстера были португальские шахматисты Ф. Люпи, Р. Нашсименто, А. М. Пиреш и др. Так, Нашсименто вспоминал случай, когда игроки собрались дома у Пиреша. Алехин расположился в одной комнате, остальные несколько человек — в другой. Он играл вслепую, они все вместе обсуждали каждый ход. Чтобы ослабить позиции Алехина, Пиреш пошел на невинную, как ему казалось, хитрость: предоставил в распоряжение гроссмейстера бутылку водки в надежде, что Алехин к двадцатому ходу будет видеть четырех королей вместо двух. После тридцатого хода Алехин выиграл и ушел, поблагодарив за теплый прием. Бутылка была пуста. Пиреш заключил, что яд Алехина не берет.

Люпи тоже вспоминал о пристрастии Алехина к алкоголю. А Моран рассказывает о посещении Алехиным доктора К. Ругарсиа летом 1945 г. в Хихоне. «Осмотр выявил острый цирроз печени.

— Его печень была огромной, — рассказывал Ругарсиа, — настолько, что почти достигала его правого соска. Вылечить это было невозможно, и его дни были сочтены.

— Алехин знал об этом?

— Естественно. Я должен был ему рассказать. Как бы то ни было, я начал с того, что сказал ему: маэстро, вы должны бросить пить.

Алехин ответил:

— Это я знаю. Все ваши коллеги говорят то же самое.

— Но каждой рюмкой вы разрушаете себя, и если не бросите пить, умрете очень скоро.

— А если брошу, сколько мне останется?

— Если бросите, побережетесь и будете вести упорядоченную жизнь, проживете еще несколько лет.

Алехин посмотрел на врача с явным сочувствием, надел пиджак, обернулся и, уходя, произнес:

— Значит, не стоит и бросать».

Забегая вперед, скажем, что результаты осмотра подвергаются сегодня сомнению на том основании, что посмертное вскрытие не показало цирроза. Однако стоит помнить, что доктор Ругарсиа проводил свое исследование при помощи пальпации, а не УЗИ или МРТ. Скорее всего, если патологоанатомы действительно не увидели признаков цирроза, Ругарсиа поставил ошибочный диагноз. Возможно, он установил, что печень его пациента значительно увеличена и, зная, что Алехин человек пьющий, заключил, что это симптом цирроза. Между тем, этот симптом не обязательно говорит о патологиях именно в области печени. Нередко это свидетельствует о патологических процессах в других органах и системах организма. Так, например, увеличенная печень может сопутствовать сердечной недостаточности. К слову, Люпи утверждал, что получил от известного рентгенолога М. Морено письмо, в котором доктор и шахматист описывал состояние здоровья чемпиона мира, ссылаясь на повышенное давление, депрессию и перенесенный сердечный приступ.

В таком состоянии Алехин провожал 1945 г. В довершение ко всем его бедам испанский диктатор Ф. Франко заключил с западными державами-победителями соглашение о выдаче нацистских преступников и пособников. Алехин, опасаясь, очевидно, что во Франции его могут счесть дезертиром и предателем и потребовать насильственной экстрадиции, в самом конце декабря 1945 г. отправился в Португалию. Тамошний диктатор А. ди О. Салазар политику экстрадиции не поддерживал.

В регистрационной книге ныне несуществующей гостиницы «Парк» городка Эшторила сохранилась запись, свидетельствующая, что 5 января 1946 г. Александр Алехин стал постояльцем гостиницы. Жить ему оставалось чуть больше двух месяцев.

А. А. Котов в книге «Алехин» дает яркое описание той поры, когда одинокий, больной и, казалось, всеми забытый король шахмат влачил бессмысленные дни в полупустом отеле на краю Европы. В 1956 г. Котов познакомился с бельгийским скрипачом по фамилии Ньюмен. Выяснилось, что после войны он тоже проживал в Эшториле, в гостинице «Парк» и, более того, знал Александра Алехина. «Время было грустное, — рассказывал Котову Ньюмен. — Я давал уроки музыки, очень уставал и спешил в «Парк-отель», чтобы немного отдохнуть. Всякий раз в отеле меня поджидал Алехин. Он мучился от одиночества, за целый день ему буквально не с кем было перемолвиться словом. Понять глубину падения Алехина можно было лишь увидев его в те дни. <...> К тому же он опять стал много пить». В ответ на удивление Котова, Ньюмен пояснил: «Когда у человека ничего нет, а вокруг люди что-то имеют, всегда есть надежда получить подаяние. Хотя бы такой пустяк как рюмку коньяка или стакан вина. Он же шахматный король!

А много ли ему нужно было, чтобы ослабеть?» В ответ на просьбу Алехина сыграть что-нибудь Ньюмен исполнял на скрипке романс А. Е. Варламова «Не шей ты мне, матушка, красный сарафан». «Алехин был сверхчувствителен, в нем была какая-то невероятная тонкость, и это особенно проявлялось в моменты, когда он слушал музыку». В такие минуты Алехин сидел притихший, с влажными от слез глазами. Ньюмен признавал, что никогда не имел такого благодарного слушателя.

В феврале 1946 г. несколько португальских знакомых Алехина решились написать письмо его жене Грейс Висхар. «С тех пор, как месяц назад Ваш муж приехал в Португалию, он находится здесь в невозможном положении — больной, без средств к существованию, он практически живет на подаяние в одной из гостиниц Эшторила». Ответа не последовало. Сегодня сложно сказать, в чем была причина — не дошло ли письмо до Грейс Висхар, а, может, стоит вспомнить интервью Ф. Х. Переса, которому Алехин поведал в Сабаделе, что жена решила оставить его. В любом случае помощь от нее не пришла. Зато в начале марта Алехин вдруг получил телеграмму из Ноттингема от президента Британской шахматной федерации лорда Дербишира, гласившую: «Москва предлагает приличную сумму на проведение в Англии матча между Вами и Ботвинником за звание титула чемпиона мира советую Вам назначить кого-нибудь в Англии представлять Ваши интересы и упорядочить все детали ответьте телеграфом». Можно себе представить и радость, и волнение, испытанные Алехиным. Ю. Н. Шабуров отмечает, что пережитое потрясение снова вызвало сердечный приступ.

Телеграмма опередила письмо, отправленное Ботвинником из Москвы 4 февраля. Вскоре пришло и письмо: «Господин А. Алехин! Я сожалею, что война помешала нашему матчу в 1939 г. Я вновь вызываю Вас на матч за мировое первенство, если Вы согласны, я жду Вашего ответа, в котором прошу Вас указать Ваше мнение о времени и месте матча».

Переговоры начались незамедлительно. Своим представителем в Великобритании Алехин назвал главного редактора журнала «British Chess Magazine» Дж. Дюмона. Вскоре была достигнута договоренность о проведении матча в Лондоне, оставалось дождаться решения исполнительного комитета ФИДЕ.

Но и тут не обошлось без политики, в который уже раз попытавшейся бесцеремонно вмешаться в шахматную жизнь. 5 марта 1946 г. недавно вышедший в отставку с поста премьер-министра У. Черчилль, получивший через президента США Г. Трумэна приглашение выступить в пресвитерианском Вестминстерском мужском колледже в провинциальном городке Фултоне (штат Миссури), произнес речь, ставшую впоследствии знаменитой и получившей название «Фултонская». Черчилль подчеркнул, что выступает как частное лицо и все, чего хотел бы — это дать американцам добрый совет совместно бороться против двух «главных бедствий» — войн и тирании. Стоит отметить, что речь эта стала своего рода хитом, поскольку с тех пор западные политики не сказали ничего принципиально нового о России — хоть о советской, хоть о постсоветской. Фултонская речь Черчилля покажется современному россиянину, прежде с ней незнакомому, невероятно близкой и понятной. Поскольку политические потомки Черчилля говорят с тех пор примерно одно и то же: Россия — полицейское государство, бросающее вызов всему цивилизованному человечеству, Россия непредсказуема и опасна для остального мира, а для собственных граждан — это тюрьма, где нарушаются права и свободы. Русские понимают только язык силы, презирают военную слабость, а потому малый перевес сил на стороне противника вводит их в «искушение заняться пробой сил». И только поэтому Великобритания и США просто обязаны «неустанно и бесстрашно» продвигать принципы свободы и прав человека как «совместное наследие англоязычного мира», Запад должен сдерживать Россию, а для этого обеспечить себе «достаточно разительное превосходство», в том числе, в атомном оружии в качестве эффективного устрашающего средства. И т. д. и т. п. С тех самых пор речь, сказанную Черчиллем в Фултоне, называют «началом холодной войны». Сталин тогда же подчеркнул, что Гитлер развязал войну, объявив, что только люди, говорящие по-немецки, являются «полноценной нацией», а Черчилль начал с того, что только нации, говорящие по-английски, призваны вершить судьбы мира. На этом основании Сталин назвал вчерашнего британского премьера «поджигателем войны».

Но еще до Фултонской речи, в феврале 1946 г. американский дипломат Дж. Кеннан сформулировал принципы политики сдерживания СССР, в соответствии с которыми США должны были предельно жестко реагировать на каждую попытку Советского

«АЛЕХИН БЫЛ
СВЕРХЧУВСТВИТЕЛЕН,
В НЕМ БЫЛА КАКАЯ-ТО
НЕВЕРОЯТНАЯ
ТОНКОСТЬ,
И ЭТО ОСОБЕННО
ПРОЯВЛЯЛОСЬ
В МОМЕНТЫ, КОГДА ОН
СЛУШАЛ МУЗЫКУ».

Союза расширить сферы влияния. Черчилль, хоть и выступал как частное лицо, дал фактически начало новому курсу Запада по отношению к СССР, а также начало гонке вооружений.

Прочитав в португальских газетах об этой речи в Фултоне, Алехин встревожился. Люпи вспоминал, что Алехин позвонил ему и попросил срочно приехать в Эшторил. Когда Люпи приехал, шахматный король, «сжавшись, сидел на диване и выглядел деморализованным». К Люпи он обратился со словами: «Смотри, как я несчастен! Мир обезумел и движется к новой войне. Я уверен, что мой матч с Ботвинником никогда не будет возможен». Конечно, Алехин не знал, что происходило в это время в СССР, но он отлично понимал, что может значить и во что вылиться тот самый «железный занавес», о котором говорил Черчилль: ухудшение отношений между государствами, ограничения в передвижении для простых людей, рост взаимной подозрительности и недоверия, а может быть, даже новые военные действия. Вполне возможно, что в таких условиях будет не до шахмат, как это уже бывало во время обеих мировых войн.

Между тем в Москве шли настоящие баталии вокруг встречи Ботвинника с Алехиным. Многие утверждают сегодня, что советское руководство не приветствовало этот матч, считая Алехина военным преступником. Но такое утверждение не соответствует действительности. Прежде всего надо вспомнить, что противники встречи Ботвинника с Алехиным появились в СССР еще до войны. Даже после того, как Ботвинник получил телеграмму за подписью Молотова об одобрении матча с Алехиным, находились люди, встречавшие в штыки такую перспективу. Пока Алехина нельзя было назвать «военным преступником», недоброжелатели упирали на то, что Ботвинник слаб, Алехину все равно проиграет, а советские шахматы опозорит. Потом вспомнили, что у Алехина плохая репутация и что играть с ним для Ботвинника зазорно. После войны заговорили о том, что Алехин — военный преступник, что руки у него по локоть в крови и что, наконец, как только он явится в СССР, его следует арестовать и выдать Франции, гражданином которой он является. А вместо игры следовало бы потребовать лишить Алехина звания чемпиона мира. Ботвинник вспоминал, что продолжалось это семь лет — начиная подготовкой к несостоявшемуся матчу 1939 г. и заканчивая смертью чемпиона мира.

Сначала Ботвинник не понимал, чем вызвана эта возня. Не понимал и не пытался выяснить. Но впоследствии объяснил все предельно просто и, по всей видимости, точно: дело в зависти. «С одной стороны, наши ведущие мастера мечтали о том, чтобы чемпионом мира стал советский шахматист, с другой — многие из них сами надеялись прославить советские шахматы; некоторые же считали, что если не они, то пусть лучше никто».

Еще до окончания войны снова начались горячие споры о том, стоит ли играть советским шахматистам с Алехиным. Ботвинник в книге «У цели» вспоминает, как в конце 1943 г. он был приглашен домой к Б. С. Вайнштейну, председателю Всесоюзной шахматной секции. Там же присутствовал и заведующий шахматным отделом Комитета физкультуры Н. М. Зубарев. На этом обеде Вайнштейн пытался убедить Ботвинника в невозможности поединка с Алехиным. О той же встрече вспоминал спустя годы и сам Вайнштейн в интервью, опубликованном в журнале «Шахматный вестник» за 1993 г. Он считал, что Алехин — военный преступник, причем (отметим, это говорит полковник государственной безопасности), преступник не перед СССР, а перед Францией, офицером армии которой он был до капитуляции страны. Затем Алехин оказался помощником по культуре гауляйтера Г. Франка, вернее — генерал-губернатора оккупированной Польши. Франк считается одним из организаторов террора против поляков и евреев Польши. На Нюрнбергском процессе его приговорили к смертной казни. Франк также был шахматистом, и Алехин знал его еще до войны. Более того, Алехин восхищался шахматной библиотекой Франка и рассказывал Люпи, что никогда прежде такой библиотеки не видел. Люпи вспоминал, что однажды спросил Алехина, как ему удалось получить столько привилегий от немцев, и Алехин признался, что все это благодаря Франку. Да, человек, чей приятель стал гауляйтером и палачом, оказывается в непростом положении.

Но из-за хороших отношений с Франком Алехина не считали военным преступником в СССР. Однако и порядочным человеком считать в тот момент отказались. Но Ботвинник хотел выиграть титул чемпиона мира, а вовсе не выяснять отношения с Алехиным и не заводить с ним искреннюю дружбу. Тем не менее, Вайнштейн настаивал на своем. Спор Ботвинника с Вайнштейном весьма примечателен. Позиция Ботвинника понятна: его целью был матч с чемпионом мира за титул, он понимал, что матч этот надо провести как можно быстрее, чтобы никто не смог опередить его и чтобы активисты вроде Эйве, Денкера или Решевского не сумели бы настоять на лишении Алехина титула. Кроме того, важно было торопиться, чтобы шахматная корона, паче чаяния, не уплыла бы в США или другую страну, минуя СССР. Не сумев настоять на своем в Шахматной секции, Ботвинник пошел выше и обратился уже в ЦК партии. Позиция Вайнштейна не всегда последовательна: он был уверен, что играть с Алехиным нельзя, потому что тот — военный преступник. Но тут же оговаривался, что СССР его преступником не признает. Далее он утверждал, что у Алехина руки по локоть в крови коммунистов и евреев. Но это было неправдой. Алехин ни в каких преступлениях не участвовал и к деятельности Франка никакого отношения не имел. Никто и никогда не обвиняет человека в преступлениях, совершенных его знакомыми. Можно как угодно относиться к тому, что Алехин играл на оккупированных территориях или писал свои странные статьи, но считать его на этом основании кровавым злодеем нельзя. Вот и получается, что Вайнштейн настаивал на невозможности матча Алехина с Ботвинником из-за преступлений Алехина, из-за того, что Алехин — военный преступник, хотя преступлений Алехин не совершал и военным преступником для СССР не был. То, что Алехин не рассматривался в СССР как враг, наглядно подтвердилось и спустя 10 лет после его смерти, когда, во-первых, в Москве прошел турнир памяти Алехина или «Мемориал Алехина 1956». А во-вторых, когда в то же время Советский

Союз намеревался перенести прах шахматного короля на Родину — в Москву. По этому поводу была даже создана международная комиссия, и если бы не возражения Грейс Висхар, настоявшей на том, чтобы прах перенесли из Португалии во Францию, Алехин был бы перезахоронен на Родине. Причем Советская шахматная федерация готова была нести расходы по перевозке тела, созданию памятника и приглашению представителей ФИДЕ на церемонию. Важно понимать, что СССР был весьма последователен по отношению к тем, кого считал своими врагами. Если С. Бандера или А. Власов были врагами на 1945 г., то они оставались таковыми и десять, и двадцать лет спустя. И никому не пришло бы в голову перезахоранивать их или устраивать им мемориалы. А если бы кому-то и пришло, то у такого человека незамедлительно появилось бы много времени обдумать свои воззрения и поступки.

Поэтому, называя Алехина врагом, Вайнштейн говорил исключительно о собственном отношении и к чемпиону мира, и к возможному матчу с ним Ботвинника. Вполне вероятно, Ботвиннник был прав в определении причин такого отношения и противодействия.

Спустя годы Вайнштейн вспоминал: «Ботвинник снова вернулся к вопросу о матче. Я еще работал в НКВД (ушел оттуда уже после войны, в 46-м) и спросил об этом генерала Мамулова, управляющего делами у Берии. Сам он в шахматы не играл, но любил их. И я ему говорю: «Степан Соломонович, тут есть такое соображение: а не сыграть ли нашему Ботвиннику матч с Алехиным? Кое-кто, правда, сомневается в его победе». А Мамулов и говорит: «Выиграет или нет — не имеет никакого значения, ибо матч вообще не может состояться. Алехин — военный преступник и при попытке проехать в СССР будет арестован на границе и выдан французским властям. Если, конечно, французы не затребуют его раньше из Испании». Вайнштейн почему-то не просто был уверен, что матч состояться не может, он настаивал на его невозможности. А после уверял, что был информирован лучше Ботвинника, который чего-то не знал, оттого и хотел играть. Но что именно было неизвестно Ботвиннику, Вайнштейн так и не сказал. Да и его собственная осведомленность не помогла. Вопрос был решен положительно на правительственном уровне. Вероятно, там были информированы еще лучше Вайнштейна с Мамуловым, оттого и не сочли невозможным проведение матча. Однако согласились, что приглашать Алехина в Москву и вступать с ним напрямую в переговоры пока не стоит. Так и родилась идея обратиться к чемпиону мира через англичан. Но когда уже начались переговоры, противники матча в СССР готовы были идти против решения правительства. На Ботвинника давили с разных сторон. Все понимали, что отменить правительственное решение нельзя, а потому рассчитывали, что Ботвинник откажется сам. Но Ботвинник не отказался. Все решила судьба.

В субботу 23 марта 1946 г. в Лондоне прошло заседание исполкома Британской шахматной федерации, где было принято решение о матче Алехина — Ботвинника. Сразу после заседания в Эшторил отправили телеграмму с официальным приглашением участвовать в соревновании за титул чемпиона мира. Но адресат телеграмму не получил. 24 марта 1946 г. Александр Александрович Алехин был найден мертвым в номере 43 гостиницы «Парк» португальского города Эшторила.

Международный мастер из Португалии Ж. Дурао сумел выяснить, кто же все-таки первым обнаружил труп шахматного короля. Это был бармен по имени Иво. В телефонном разговоре он подтвердил, что вместе с мальчиком-гарсоном они стучали в номер 43, но, поскольку никто не отзывался, а постоялец из комнаты не выходил, они открыли дверь запасным ключом. Было около 11 часов утра. Последний раз еду в номер подавали ночью.

Люпи вспоминал, что около часа ночи в пятницу 22 марта, когда он поднимался по лестнице в свою квартиру в Лиссабоне, он вдруг увидел, что кто-то стоит, прислонившись к двери. Подойдя ближе, Люпи узнал «доктора Алекса»: «Его руки нервно теребили рукава моего пальто, он заговорил со мной, и голос его я никогда не забуду: «Люпи, одиночество убивает меня! Я должен жить. Я должен чувствовать жизнь вокруг себя. Я уже стер пол, расхаживая взад-вперед в своей комнате. Отведи меня в ночной клуб». Это был последний раз, когда я чувствовал в нем энергию жизни. Мне было не по себе, когда под меланхоличные звуки оркестра, игравшего танго, я видел тень величайшего шахматиста всех времен. Когда мы устроились в клубе, он вновь заговорил о матче с Ботвинником: «Состоится ли он когда-нибудь?» Было уже поздно, когда мы вышли, и это был последний раз, когда я видел его живым».

А наутро в воскресенье около 10.30 утра Люпи попросили по телефону приехать в Эшторил. Он вошел в номер в сопровождении своего отчима Л. Люпи и представителей власти. Старший Люпи — фигура в этом деле примечательная, хотя бы потому, что именно он сделал посмертные снимки Александра Алехина. Но Л. Люпи вовсе не был фотографом-любителем, снимающим все без разбора. Напротив, был он профессиональным журналистом и главой «Associated Press» в Португалии; основателем агентства новостей «Lusitânia»; представителем и корреспондентом «The African World» и «Irish Independent» в Дублине. На протяжении двенадцати лет возглавлял агентство «Reuters», сотрудничал с американскими изданиями и американскими спецслужбами. В 1936 г. выпустил книгу «Ахтунг! — Цивилизация под угрозой», где выступил предтечей Черчилля в Фултоне, набросившись на СССР и коммунистическое движение.

Собственно, это именно Люпи-старший сообщил прессе о смерти Алехина. Известно его письмо в «Associated Press», написанное тогда же — 24 марта 1946 г.:

«Адвокату Роберту Буннелю Associated Press Лондон
Дорогой Буннель, прилагаю четыре негатива и три фотографии, сделанные мной эксклюзивно для «Associated Press». Это последние фотографии Александра Алехина. Эти снимки я сделал маленьким фотоаппаратом, который одолжил в гостинице «Парк» в Эшториле, куда поспешил, чтобы скорее узнать о смерти Алехина. В спешке я забыл свой фотоаппарат, поэтому снимки не лучшего качества. На фото мертвый Алехин в том положении, как он был обнаружен утром 24/3 работником отеля. Должно быть,

он умер накануне ночью (23/3) около 11 часов. По словам консьержа, чемпион мира по шахматам вернулся около 23.40 и, по привычке, спросил ужин в номер. Его лицо оставалось спокойным и естественным, как будто он спал. Врачи говорят, что смерть наступила внезапно, когда он приступил к трапезе. В правой руке он все еще держал кусок мяса. Он ел руками, используя столовые приборы только на публике... Мертвый шахматный гигант был похож на сломленный дуб. Его лицо выражало состояние глубокой медитации. Для надписи к снимкам советую Вам (если Вы захотите использовать эти ужасные снимки) обратиться к моим сообщениям от 23/3, файлы «01230» и «02345». Могли бы Вы достать для меня копии этих негативов, по паре каждого? Спасибо искренне Ваш Л. К. Л.

(Луиш Калдейра Люпи. — С.З.)»

В этом письме не все понятно — например, Л. Люпи пишет, что Алехин, должно быть, умер 23 марта около 11 часов ночи, но в то же время утверждает, со слов консьержа, что вернулся гроссмейстер 23 марта в 23.40. Кроме того, Л. Люпи упоминает о четырех фотографиях и трех негативах, однако, известны только две фотографии. Впрочем, эти противоречия, скорее всего, объясняются просто, без привлечения теории заговора. Во-первых, Л. Люпи мог попросту неверно написать «11 часов» вместо «12 часов». Во-вторых, Л. Люпи вообще мог ошибиться в своем предположении относительно времени смерти либо повторить чье-то ошибочное заключение. Что касается фотографий и негативов, то, вполне вероятно, всего два снимка могли оказаться пригодными для печати. Как вариант, остальные фотоматериалы могли затеряться в редакции или, к примеру, быть проданы. Кто-то также уверяет, что на фотографиях не виден кусок мяса в руке Алехина. Но этот кусок действительно может быть просто не виден на темном фоне, да еще на плохонькой фотографии.

Гораздо важнее другое. Из этого сообщения мы узнаем, что Алехин самостоятельно вернулся в гостиницу 23 марта в 23 часа 40 минут, его видел консьерж, через которого гроссмейстер заказал ужин в номер. И этот ужин, судя по всему, был ему предоставлен, после чего Алехин приступил к трапезе, во время которой и умер.

На фотографиях Алехин полулежит в кресле. Лицо его спокойно, глаза закрыты, губы сжаты, правая рука покоится на животе, голова наклонена влево, ноги вытянуты вперед. На столе перед ним — посуда и приборы, в той или иной мере наполненные тарелки. Стол с посудой покрыт белой скатертью, тут же, немного правее — стол или похожий предмет, на котором стоит шахматная доска с расставленными в исходной позиции фигурами. Слева от Алехина, скорее всего, помещается туалетный столик, справа — трюмо. И там, и там разложены мелкие предметы — бумаги, книги, ваза, стакан и пр. Известно также, что одной из книг был сборник стихов Маргарет Сотберн «Vers l`Exile», открытый на странице с такими строками: «...это судьба всех тех, кто живет в изгнании...»

Поиск загадок начался уже с этих фотографий, причем увиденное иногда прямо противоречит здравому смыслу, а иногда трактуется самым невероятным способом. Например, кто-то утверждает, что тарелки на столе пусты, хотя совершенно очевидно, что это не так и что какая-то еда есть в каждой тарелке.

Кто-то считает очень подозрительным то обстоятельство, что чемпион мира сидит, вытянув ноги. Однако миллионы людей принимают такую позу, особенно чувствуя усталость или недомогание. Кому-то смятое пальто Алехина представляется явной уликой, указывающей на то, что гроссмейстера приволокли в комнату мертвым и бросили в кресло. Но других фотографий того же периода, доказывающих, что Александр Алехин имел устойчивую привычку, садясь, оправлять полы пальто, ни у кого нет. Более того, так ли удивительно, что пьющий, переживающий депрессию человек стал небрежен? А если представить, что он неважно чувствовал себя, когда усаживался в это кресло, то ничего странного в том, что он не поправил пальто, вообще нет.

Р. Нашсименто разглядел на фотографиях отражающееся в зеркале мужское лицо в профиль, но, признаться, где именно это лицо находится, рассмотреть так и не удалось. Зато другая любопытная деталь действительно обращает на себя внимание. На одном снимке видно, что на верхней полке трюмо лежит довольно большая книга в темном переплете, на книге — согнутый вдоль корешка журнал, или сложенная газета, или пачка листов писчей бумаги. На другом снимке этот журнал (газета, листы бумаги) перекочевал на нижнюю полку трюмо. Кто-то, правда, утверждает, что журнал (газета, листы бумаги) попросту пропал. Но, приглядевшись, можно заметить, что на одной фотографии белое пятно располагается на верхней полке, а на другой очень похожее по очертаниям пятно появляется на полке внизу. А это значит, что между съемками кто-то переложил журнал (газету, листы бумаги) с верхней полки на нижнюю или наоборот. Вспомним, что Л. Люпи появился в комнате Алехина не в одиночестве, а в сопровождении пасынка Ф. Люпи и полиции. Вряд ли представители власти скромно стояли за дверью, пока журналист делал свои снимки. Скорее всего, кто-то из полицейских и переложил журнал (газету, листы бумаги) с полки на полку. Представим себе, что пока Л. Люпи возится с незнакомым ему фотоаппаратом, сотрудник полиции ходит по комнате. Заметив на нижней полке трюмо журнал, который, например, мог быть открыт на странице с фотографией чемпиона мира по шахматам, полицейский чиновник берет издание в руки и с интересом рассматривает фото. В этот момент фотограф обращается к нему:

— Прошу вас, сеньор, отойдите в сторону, я сделаю еще один снимок!

В спешке представитель власти кладет журнал на верхнюю полку и спешит посторониться, после чего Л. Люпи, не заметив перестановку предметов, щелкает фотоаппаратом. Конечно, за точность происходящего нельзя поручиться, но главное, что вряд ли стоит усложнять объяснения вещей, скорее всего, простых и житейских.

Между тем, какие-то существенные мелочи как будто ускользают от внимания исследователей. Во всяком случае, создается впечатление, что на некоторые детали не обращается должного внимания. Люпи-младший вспоминал, что, войдя в комнату № 43, он увидел Алехина в кресле «с таким безмятежным выражением лица, что любому постороннему показалось бы, что он спал. Лишь в уголке его рта было немного пены». Пена — это существенно, но во всех исследованиях упоминание о пене проходит фоном, как о колоритном, но в целом бесполезном обстоятельстве. К пене мы еще вернемся особо, а пока ознакомимся с официальным заключением о смерти.

К слову, сегодняшние исследователи слишком категорично воспринимают это заключение, словно забывая, что написано оно было почти восемьдесят лет назад, что возможности медицины в то время не соизмеримы с возможностями медицины современной. Особенно если учесть, что все происходило в первый послевоенный год. К тому же положение португальской патологической анатомии того времени известно не слишком хорошо, чтобы судить о точности результатов. В свидетельстве о смерти, написанном 27 марта 1946 г., причиной, повлекшей смерть, указана асфиксия, или удушье, вызванное обструкцией верхних дыхательных путей куском мяса. В отчете о вскрытии написано, что Александр Алехин не страдал заболеваниями, ведущими к внезапной смерти, однако были выявлены признаки атеросклероза и хронического гастродуоденита. Сохранились свидетельства доктора А. Ж. Феррейры, бывшего в 1946 г. студентом медицинского факультета и присутствовавшего при вскрытии на кафедре судебной медицины медицинской школы Университета в Лиссабоне, куда было перевезено тело Алехина. Тогда же высказывалось предположение, что гроссмейстер принял яд, поэтому врачи произвели тщательный анализ содержимого его желудка. Версия отравления была отклонена, после чего рассматривалась версия закупорки сосудов сердца, что также не нашло подтверждения.

Смерть Алехина, породившую невероятное количество всевозможных слухов и версий, тут же назвали загадочной.

Наконец, между голосовыми связками был обнаружен кусок мяса, могущий вызвать удушье. На том и порешили. Официальной причиной смерти была названа асфиксия.

24 марта 1946 г. агентство «Reuters» отправило из Лиссабона новость с пометкой «срочно»: «В Лиссабоне скончался чемпион мира по шахматам Александр Александрович Алехин, родившийся в Москве в 1892 г. Вскрытие показало, что он подавился куском мяса, обедая в одиночестве в своем номере в гостинице Эшторила...»

В тот же день о смерти великого шахматиста узнали в Москве.

Партия была закончена.

ЧАСТЬ II.

День сегодняшний

4
ВЕРСИИ СМЕРТИ

Смерть Алехина, породившую невероятное количество всевозможных слухов и версий, тут же назвали загадочной. Говорили, что шахматный король был отравлен, покончил с собой, убит на улице. Убийство тоже рисовалось разными красками. Была даже версия, что Алехина убили 21-го или 22 марта, после чего притащили в отель и бросили труп в кресло. Бытовало также поверье, будто Алехин перерезал себе горло бритвой. Но, очевидно, верившие в такой исход чемпиона мира, просто не видели фотографий Л. Люпи, судя по которым горло гроссмейстера осталось в нетронутом виде. Впрочем, оспариваются даже фотографии, которые якобы не совпадают с описанием журналиста газеты «O Século», написавшего в статье от 25 марта 1946 г., что Алехин не притронулся к ужину и отметившего, что возле тела находились шахматная доска и книга стихов. Несовпадение с фотографиями заключается только в оценке сохранности ужина. Но даже если отбросить все фотографии, официальная версия смерти — асфиксия и обнаруженный в горле кусок мяса свидетельствуют именно о том, что Алехин начал и не закончил трапезу. А кроме того, разве можно полностью положиться на мнение журналиста? И с какой стати его мнение должно стать решающим и наиболее авторитетным? И если допустить, что Л. Люпи сделал постановочные снимки, то почему нельзя допустить, что журналист из «O Sйculo» приукрасил свой репортаж?

Еще одним основанием для веры в убийство стали показания некоего гражданина, жившего в 1946 г. в Португалии, но впоследствии переехавшего во Францию. На этого гражданина ссылается даже Ю. Н. Шабуров в книге «Алехин» из серии ЖЗЛ. И не просто ссылается, а уверяет, что «появилась одна зацепка, способная потянуть весь клубок версий». Оказывается, этот гражданин, которому к 2000 г. было 87 лет, рассказывал, будто его отец, крупный нефтяной промышленник, эмигрировал в Португалию из Румынии при подходе немецких войск. Семья жила в Эшториле, а молодой человек брал уроки шахматной игры у самого Алехина. И вот однажды вечером молодому человеку позвонили из полиции и сказали, что его номер был найден в книжке господина, скончавшегося на улице. Звонивший предполагал, что этим господином был Александр Алехин, и просил молодого человека приехать подтвердить или опровергнуть предположение.

Молодой человек явился и подтвердил, что лежавший на тротуаре мертвец — действительно Алехин. Что было потом, он не знал. Но, судя по всему, кто-то перенес тело в гостиницу и уложил его в кресло. Этот рассказ передает и С. Н. Ткаченко, называя молодого человека мальчиком и уверяя, что за уроки Алехину платил его отец. Кроме того, как уверяет Ткаченко, по вызову полиции мальчик явился вместе с отцом.

Был и еще один «свидетель» убийства. Так, в конце XX в. в Эшториле якобы скончался бывший официант одного из местных ресторанов — того самого, где ужинал накануне смерти Алехин. Перед смертью он рассказал окружавшим его родственникам, что в 1946 г. подсыпал в еду Алехина яд, который ему передали какие-то незнакомые люди, одетые в штатское и говорившие с акцентом. Помимо яда ему передали крупную сумму денег и велели молчать. Больше тот официант их никогда не видел.

Кроме свидетелей, был католический священник, отказавшийся отпевать Александра Алехина ввиду того, что на лице усопшего остались следы насилия.

Что касается юного шахматиста из Румынии, то картина получается какая-то нелепая. Во-первых, если этому господину к 2000 г. было 87 лет, то значит, родился он что-то около 1913 г. А это значит, что к 1946 г. он уже разменял четвертый десяток. Конечно, старым его не назовешь, но и юношей, а тем более мальчиком, за уроки которого платит папа, тоже как-то не получается. Разве только в том смысле, на который ссылался Остап Бендер: «кто скажет, что это девочка, пусть первый бросит в меня камень». И все же... Но пусть даже так, пусть зрелый мужчина захотел учиться игре в шахматы и, не имея времени на книги и журналы, решил платить за уроки чемпиону мира. Удивляет другое. Этот молодой человек ничего не сообщает о других участниках опознания, то есть получается, что опознать труп вызвали его одного (или их вдвоем с папой). Но в телефонной книжке Алехина не мог быть записан один-единственный номер, так почему же полиция позвонила именно этому велико-возрастному любителю шахмат? Кроме того, если полиция нашла тело на улице, а потом это тело оказалось в гостинице, значит, полиция и перенесла тело, после чего попыталась скрыть преступление, то есть полиция была в курсе происшедшего. Но зачем в таком случае понадобилось вызывать «трансильванского мальчика» с папой или без оного для опознания? Консьерж сообщил, что, вернувшись в 23.40, Алехин заказал в номер ужин. Но если он был в ресторане, зачем ему ужин в номере? Не иначе от яда аппетит разыгрался. Если же он умер по дороге из ресторана, то кого видел консьерж в 23.40? Допустим, что консьерж врет. Тогда получается, что в убийстве Алехина замешана полиция Эшторила, администрация отеля «Парк» и бог знает, кто еще. Учитывая, что даже сегодня население Эшторила составляет примерно 26 000 человек, то в убийстве, которое непонятно кому и зачем было выгодно, замешано чуть ли не полгорода. И опять же неясно, почему нужно верить какому-то странному «трансильванскому мальчику» и не верить консьержу?

Ну и самое главное. Никогда в подобных случаях не стоит забывать о том, что на белом свете есть не только свидетели смерти Александра Алехина, но и 34 чудом выжившие Анастасии Романовы, 28 Ольг Романовых, 33 Татьяны, 53 Марии и 80 Алексеев. В XVII в. нашлось несколько тоже чудом уцелевших царевичей Димитриев. А что уж говорить, что в специальных местах по сей день можно встретить Наполеонов Бонапартов, Гаев Юлиев Цезарей и даже

Александров Македонских. Вопрос только в том, стоит ли воспринимать всерьез заявления этих людей. Все это относится и к детективу с умирающим официантом, решившим на смертном одре излить душу перед собравшимися родственниками. Эта история больше напоминает даже не голливудский, а болливудский фильм, нежели серьезную спецоперацию.

Что же касается католического священника, то стоит опять же обратить внимание на фотографии, судя по которым на 24 марта никаких следов насилия на лице усопшего гроссмейстера не было. Но допустим, что некие злокозненные силы перед фотосессией загримировали труп, спрятав те самые синяки и кровоподтеки под слоем грима. Непонятно, к чему и зачем такие сложности, но пусть так. Но тогда напрашивается другой вопрос: каким образом насильственная смерть может воспрепятствовать отпеванию? Церковь не отпевает самоубийц, но при чем же тут убитый? Даже если католический священник настаивал на продолжении расследования, то он не мог настаивать из-за этого на задержке похорон. Другое дело, что, судя по все той же заметке в газете «O Sйculo», Алехин незадолго до смерти говорил о желании перейти в католичество. Однако сделать этого он не успел, потому для католического священника оставался православным, то есть не мог быть отпетым по католическому обряду. А вот задержка с похоронами не была увязана с религиозными вопросами. Как это ни печально, но Франция, гражданином которой на момент смерти являлся Александр Алехин, не проявила интереса к его кончине. И на вопрос «Кто оплачивает похороны?» долгое время ответа не было.

Только благодаря усилиям председателя шахматной группы Клуба охотников Португалии М. Эштевеша, 16 апреля 1946 г. гроб с телом шахматного короля был установлен в фамильном склепе Эштевешей на кладбище Алту-де-Сан-Жоау.

Впрочем, любители загадок и тайн обходятся зачастую своими силами, без привлечения свидетелей и участников событий. А потому будет целесообразным рассмотреть несколько версий и попытаться понять, что же все-таки случилось в Эшториле в марте 1946 г.

Одна из наиболее популярных ныне версий смерти шахматного короля связана с политикой и, как следствие, с идеологией. Дело в том, что в современной России сложилось целое сообщество людей (можно даже сказать — неформальная секта), остро переживающих из-за событий 100-летней давности. Само по себе это нездоровый признак, свидетельствующий о скрытых проблемах психологического толка и требующий профессионального вмешательства. Ведь очевидно, что нормальный человек не станет воспринимать происходящее 100 лет назад с той же остротой, как и происходящее в настоящем. Подобное нарушение восприятия может быть связано с недовольством жизнью, с осознанием невозможности что-то принципиально изменить. В таком случае человек ищет и, естественно, находит как некую опору в жизни новые ориентиры, так и виновных за «неправильный» ход вещей. В России XXI в. такой опорой для многих стала религия, а виновниками всех бед — большевики, демонизированные, ко всему прочему, теми, кто так настойчиво добивался разрушения СССР.

После распада большой страны всем пришлось начинать жизнь с нуля. Оказалось, что трудно не только физически выжить в новых условиях, но и найти новое мировоззрение, заново понять устройство мира, создать для себя какую-то схему, помогающую превратить хаос в порядок, расставить по местам смешавшиеся события, имена и смыслы. Но поскольку все люди обладают разными эмоциональными, интеллектуальными и прочими возможностями, то и схемы у всех получились разными. Кто-то и по сей день пытается «дойти до самой сути», вникая во множество обстоятельств и особенностей отечественной истории, а кто-то как догму принял миф о России, которая «росла и расцветала», но иностранцы (не то немцы, не то англичане) подкупили большевиков, все разрушивших до основания и построивших ГУЛАГ. В основу этого мифа легли, в первую очередь, публикации так называемой «белоэмигрантской» печати 20—30 гг., служившие в свое время сплочению эмиграции, а ныне ставшие оградительным заклятьем перед самой возможностью возврата к социализму, национализации, равенству и пр. Миф оказался востребован разобщенными и дезориентированными людьми не только на постсоветском пространстве, но и повсюду, где только элиты страшатся «призрака коммунизма».

Миф — на то и миф, чтобы объяснять и давать опору. Излюбленный русский вопрос получил наконец-то ответ. Кто виноват? Большевики! И сразу все становится понятным, не нужно задаваться другими вопросами, не нужно искать и думать. Сторонники этого мифа объясняют все, что им непонятно, вмешательством большевиков. Когда-то непонятные явления люди объясняли влиянием злых духов или богов. Вера во всемогущество большевиков оказалась, по сравнению с верой в злых духов, несомненным шагом вперед. По крайней мере, это не деревянные истуканы, а люди из плоти и крови. Но тем не менее, объяснять все необъяснимое влиянием некой всесильной группы значит вернуться к архаическим формам познания. А в этом случае можно смело говорить об отказе от рационального мышления.

Не стала исключением и смерть Александра Алехина. По мнению ряда исследователей и просто любителей шахмат, Алехина убили чекисты.

Например, С. Н. Ткаченко называет **«чекистскую версию»** приоритетной, не объясняя, впрочем, чем обусловлен этот приоритет. Точнее, объяснения приводятся, но по степени убедительности они могут посоперничать с рассказами «трансильванского мальчика». Для начала Ткаченко цитирует П. А. Судоплатова: «Я долго руководил службой разведывательно-диверсионных операций в советских органах безопасности — с конца 1930-х до начала 1950-х годов, включая период Великой Отечественной войны». Однако какое отношение это признание имеет к смерти Алехина, Ткаченко не говорит. В общем-то, ни для кого не секрет, что Судоплатов занимался разведывательно-диверсионной деятельностью. Но когда эта деятельность была направлена против Е. М. Коновальца или Л. Д. Троцкого — вопросов не возникало, а вот зачем было НКВД убивать Алехина — понять непросто. Убедительнейший аргумент о том, что большевики плохие, мы оставим в стороне и попытаемся найти хоть какие-нибудь рациональные объяснения. Прежде всего обратим внимание, что подобного рода операции — дело затратное, не каждому государству по силам и по карману. И проводятся они только в тех случаях, когда государственный интерес ясно просматривается. Но каков же интерес в деле Алехина?

Ткаченко разъясняет этот вопрос таким образом: Ботвинник, заручившись поддержкой Молотова, начал готовиться к матчу с Алехиным. Но НКВД был против и поэтому «инсценировал смерть Алехина». И вот, чемпиона больше нет, статус Ботвинника вырос, а задуманный матч между Эйве и Решевским откладывался. Далее Ткаченко задается вопросом: «Интересно, просило ли НКВД разрешение у высшего руководства страны на ликвидацию Алехина, или это была «личная инициатива» диверсионного ведомства? По логике, учитывая знаковость фигуры и огромный общественный резонанс в случае провала, НКВД не стал бы так «подставляться». Наблюдение очень интересное.

Во-первых, Ткаченко выше назвал «чекистскую версию» приоритетной, но если, «по логике», НКВД «не стало бы так подставляться», то не такая уж она и приоритетная. Приоритетная версия — эта та, где меньше всего противоречий и взаимоисключающих обстоятельств. Не стоит забывать, что салазаровская Португалия отнюдь не благоволила коммунистическому движению, и вряд ли парни Судоплатова могли свободно и никем не замеченные разгуливать по Лиссабону.

Во-вторых, получается, что «инсценировать смерть» кого бы то ни было для НКВД — это пара пустяков. Хотя, повторимся, дело это очень опасное, затратное и трудоемкое, а потому используемое только в исключительных случаях. А уж дело Алехина — точно не тот случай. За пределами СССР проживало достаточно много тайных и, что особенно важно, явных врагов советской власти. Однако далеко не все из них имели удовольствие лично познакомиться с П. А. Судоплатовым или его коллегами. Например, та же белоэмигрантская печать ощутимо вредила СССР, а с началом войны кое-кто из бывших соотечественников откровенно радовался и публично, вслух возлагал на Гитлера надежды по «освобождению» России. Однако никому в Москве не приходило в голову проредить «белоэмигрантскую сволочь».

Да и не считали Алехина врагом в СССР. Наверное, даже самые убежденные разоблачители советского строя в состоянии увидеть разницу между аполитичным шахматным чемпионом и деятелями вроде Троцкого и Коновальца.

В-третьих, со слов Ткаченко получается, что НКВД — это какое-то «государство в государстве», частная лавочка и бандитский притон в одном здании. Спасибо, если разрешения у власти спросят «пришить» кого-нибудь. А то прямо так... катай-валяй! Народный комиссариат внутренних дел СССР — это центральный орган государственного управления СССР по борьбе с преступностью и поддержанию общественного порядка, а также и по обеспечению государственной безопасности. И никакой самодеятельностью по ликвидации несимпатичных деятелей за рубежами Отечества, к тому же граждан иностранных держав, это заведение не занималось.

К слову, организация шахматных матчей также находилась вне компетенции данного ведомства. А руководитель Всесоюзной шахматной секции полковник госбезопасности Б. С. Вайнштейн с 1942-го по 1946 г. возглавлял плановый отдел НКВД СССР, то есть занимался не разведывательно-диверсионной, а, скорее, финансово-экономической и хозяйственно-производственной деятельностью. Если бы против встречи Ботвинника с Алехиным активно выступал Судоплатов, можно было бы если не разделить мнение сторонников «чекистской версии», то хотя бы понять их. А так... Да и вообще стоит вспомнить, что в НКВД, как и в любом аналогичном ведомстве мира, трудились не только диверсанты и особисты.

Итак, правительство страны поддерживает матч Ботвинника с Алехиным. Но НКВД в обход руководства государства и на уровне планового отдела решает, что для советских шахмат будет лучше убрать Алехина, и незамедлительно приводит свой план в исполнение, рискуя в не самой дружественной стране жизнями сотрудников, репутацией государства, да и просто миром в Европе — ведь убийство советскими диверсантами гражданина Франции на территории Португалии вполне могло бы спровоцировать новую мировую войну после Фултонской речи. Абсурдно? Не то слово... Зато как интересно для любителей загадок и тайн! Как утешительно для ненавистников большевиков!

И, наконец, в-четвертых, почему со смертью Алехина статус Ботвинника вырос? И с какой стати Эйве и Решевский должны были отказаться от задуманного матча? Эти утверждения голословны, более того, они противоречат действительному положению вещей. Со смертью Алехина шансы советских шахматистов заполучить чемпионский титул уменьшались, поскольку теперь шахматному миру предстояло определиться, как быть дальше, и в этих условиях Эйве, Решевский и пр. смогли бы настоять на своем разрешении ситуации, употребив обстоятельства в свою пользу.

Любопытно, что в западной печати «чекистская версия», то есть объяснение смерти Алехина вмешательством советских спецслужб, не пользовалась особой популярностью. Конечно, такая гипотеза высказывалась, но не была принята за истину. Например, Д. Дж. Ричардс в книге «Советские шахматы. Шахматы и коммунизм в СССР» писал, что к 1946 г. в СССР, возможно, опасались лишения Алехина титула чемпиона мира, «а его последователь мог быть выбран без участия советских игроков». Именно поэтому и велись переговоры через англичан с Алехиным, и «Московский шахматный клуб гарантировал 2500 фунтов стерлингов на главный приз и на оплату расходов». То есть Советскому Союзу более, чем кому бы то ни было, смерть Алехина представлялась невыгодной, потому что в противном случае звание чемпиона мира могло быть разыграно без участия Ботвинника или любого другого советского игрока.

Другие приверженцы «чекистской версии» утверждают, что в СССР боялись матча с Алехиным, поскольку Ботвинник не смог бы у него выиграть и советские шахматы были бы опозорены. Но, во-первых, никто еще не был опозорен из-за проигрыша в соревновании. Советские шахматисты, участники любых других соревнований случалось проигрывали или не занимали призовых мест, и никто не выглядел опозоренным, никого на Родине в ГУЛАГ не отправляли за проигрыши. Во-вторых, достаточно посмотреть на результаты турниров, в которых участвовали и Алехин, и Ботвинник, чтобы убедиться, насколько высоки были шансы у Ботвинника выиграть чемпионский титул или опозориться. В 1936 г. оба шахматиста участвовали в ноттингемском турнире, где сыграли вничью. Но Ботвинник выиграл турнир, Алехин же занял шестое место. На АВРО-турнире они встречались дважды, причем одну партию сыграли вничью, и одну партию выиграл Алехин. Зато в итоге Ботвинник расположился на третьем месте, а Алехин разделил четвертое-шестое места. При этом стоит учесть, что Ботвинник был существенно моложе Алехина, в марте 1946 г. Ботвиннику шел 35-й год, Алехину — 54-й. К тому же Алехин в одиночестве бедствовал, болел и пил, в то время как Ботвинник жил в исключительно благоприятных условиях: на время подготовки к матчу с Алехиным ему предоставили полугодовой отпуск, материальное обеспечение, увеличенный паек, проживание с семьей в санатории «Сосны». Конечно, никто ни сейчас, ни тогда не смог бы сказать, с каким счетом закончится матч Алехин — Ботвинник. Но то, что Ботвинника не ждал позор, это очевидно. Вспомним, что в 1935 г. пьяный Алехин проиграл Эйве одно очко, а спустя два года, бросив пить, выиграл с опережением на шесть очков. И то о позоре не было речи. Хотя можно было бы сказать: Эйве способен выиграть всего очко у пьяного Алехина, тогда как у трезвого проигрывает сразу шесть. Так почему же должен был опозориться Ботвинник? И почему бы в таком случае не подозревать в убийстве Эйве, который уже точно опозорился и мечтал лишить Алехина титула? Понятно, что в таком случае отпадет возможность лишний раз послать проклятия большевикам, а значит, день будет прожит зря.

Но большевики оказались большими затейниками и преподнесли своим ненавидящим потомкам еще один сюрприз. 14 июня 1946 г. Президиум Верховного Совета СССР издал Указ «О восстановлении в гражданстве СССР подданных бывшей Российской империи, а также лиц, утративших советское гражданство, проживающих на территории Франции». Указ гласил:

«1. Установить, что лица, состоявшие к 7 ноября 1917 года подданными бывшей Российской империи, а также лица, состоявшие в советском гражданстве и утратившие это гражданство, а равно их дети, проживающие на территории Франции, могут восстановить гражданство СССР.

2. Лица, указанные в статье 1 настоящего Указа, изъявившие желание восстановить гражданство СССР, могут быть восстановлены в гражданстве СССР в том случае, если они в течение срока до 1 ноября 1946 года обратятся в Посольство СССР во Франции с соответствующими заявлениями, к которым должны быть приложены документы, удостоверяющие личность заявителя и его принадлежность в прошлом к подданству бывшей Российской империи или к советскому гражданству.

3. Ходатайства о восстановлении в советском гражданстве рассматриваются Посольством СССР

во Франции. В случае признания представленных заявителем документов удовлетворяющими требованиям настоящего Указа, Посольство выдает заявителю советский вид на жительство.

4. Лица, не возбудившие в течение срока, установленного статьей 2 настоящего Указа, ходатайств о восстановлении гражданства СССР, могут быть приняты в гражданство СССР на общих основаниях».

Подобные же указы выходили и в отношении бывших граждан Российской империи, проживавших на территории и других государств. Александр Александрович Алехин, как гражданин Франции, подпадал именно под Указ от 14.06.46. и вполне мог получить паспорт СССР в июне 1946 г. Конечно, если бы не внезапная кончина.

Л. Д. Любимов так описал вручение первых паспортов: «...Торжественное вручение в одном из самых больших залов Парижа. На трибуне — посол СССР во Франции А. М. Богомолов и его сотрудники. Все полно, в проходах толпа. А две трети вставших на улице в очередь за четыре часа до открытия собрания так и не вместились в зале. Выдача паспортов первым двадцати новым советским гражданам. Их вызывают поименно, и посол вручает каждому красную книжечку с золотым серпом и молотом в венке. И каждый раз стены зала потрясают громовые аплодисменты. Среди этих двадцати — профессор и конторский служащий, священник и шофер, старый моряк, защитник Порт-Артура, и девушка, празднующая в этот день свое совершеннолетие. И все в зале понимают умом и сердцем величественность происходящего». Многие из новоявленных советских граждан придерживались в свое время довольно жесткой позиции по отношению к обновленной России, многие состояли в монархических организациях и открыто высказывались против советской власти, кто-то, как тот же Любимов, писал антисоветские статьи в эмигрантских изданиях. И тем не менее многие вернулись в СССР, где жили и работали до конца дней своих. Более того — как это ни странно покажется кому-то — об ужасах ГУЛАГа многие знали только из эмигрантской печати или от Солженицына.

Что это может значить для матча Ботвинника с Алехиным? Только то, что в июне 1946 г. Алехин мог бы вернуться в СССР, и тогда было бы не важно, кто выиграл матч — Алехин или Ботвинник. Чемпионский титул в любом случае переместился бы в Советский Союз. То есть с какой точки зрения ни смотри на предмет, а выгод избавляться от Алехина у НКВД и правительства СССР не было никаких. Впрочем, как и санкций на проведение такой операции.

Рассмотренная нами «чекистская версия» не единственная, хотя и наиболее для многих желанная, но при этом одна из самых неправдоподобных. Что же касается остальных гипотез и предположений, здесь меньше информации; однако стоит разобраться и с ними. Начнем с **еврейской версии**. Все достаточно просто и при этом эфемерно. Свалить, как на НКВД, вину на «Моссад» решительно не получится. Остаются построения, связанные с ощущениями. Сторонники этой версии утверждают, что Алехина убили оскорбленные им евреи. Но при этом не уточняется, что это были за евреи, откуда они, как именно убили чемпиона мира по шахматам и какими средствами осуществлялась эта спецоперация. Ну и главное — каков мотив убийства. На это могут сказать, что некие евреи приговорили Алехина к смерти из мести за его антисемитские статьи. Но вспомним: шел 1946-й, то есть первый послевоенный год. Численность евреев в Европе, по известным причинам, значительно сократилась. Восстановиться меньше чем за год — ни морально, ни физически, ни демографически — этот народ вряд ли бы успел. Но даже и восстановив силы, логичнее было бы заняться местью по отношению к действительным палачам, а не к автору нескольких статей, обвинивших евреев в дурном влиянии на шахматную мысль. В США, например, несколько лет назад умер гражданин Демьянюк, служивший во время войны охранником в нескольких немецких концлагерях. Уже в наше время немецкие СМИ[1] писали, что первым его заданием была охрана еврейских узников на принудительных работах. Демьянюка несколько раз судили, лишали американского гражданства, катали для опознания по всему миру, пока, наконец, он не умер собственной смертью на 92-м году жизни в доме престарелых немецкого курортного города Бад-Файльнбаха. А сколько таких демьянюков расползлось после войны по всему белому свету? Сколько их проживало в США, Германии, Аргентине, Бразилии? И что-то ничего не слышно о тайных еврейских отрядах, истребля-

---

[1]   http://www.taz.de/!5164911/;   http://www.spiegel.de/spiegel/print/d-64628325.html

ющих обидчиков и палачей ветхозаветного народа. Так почему же именно Алехин?..

Представим, что его убийство организовали не подавленные войной европейские евреи, но их американские соплеменники, не видевшие концлагерей, не голодавшие и не прятавшиеся по подвалам и чердакам несколько лет сряду. Но опять же вопрос: так ли далеко за пределы шахматного мира распространилась весть о странных статьях Алехина, за которые он, кстати сказать, уже успел оправдаться? И стали бы американские евреи заниматься организацией убийства человека, написавшего что-то нелицеприятное о евреях пять лет тому назад? Особенно если учесть, что нечто похожее происходило и происходит время от времени. Подчеркнем: речь идет об убийстве человека, не убивавшего евреев, не доносившего на них, а неуважительно отозвавшегося о еврейских шахматистах. Очень сомнительно. На этом фоне гораздо более убедительно выглядит **гроссмейстерская версия**. Вспомним слова М. М. Ботвинника о том, что многие его коллеги хотели бы прославить советские шахматы. Однако некоторые считали, что если не они, то пусть лучше никто. Именно отсюда произрастали разговоры о слабости Ботвинника, о преступности Алехина, о невозможности матча между ними. «Кто скажет что-нибудь в защиту зависти? Это чувство дрянной категории...» — писал М. А. Булгаков. И слова эти относятся не только к советским шахматистам. А уж завидовать Александру Алехину были все основания у любого служителя Каиссы. И в первую очередь, пожалуй, у М. Эйве. Итак, **1.** Именно Эйве стоял во главе бойкота Алехину в 1945 г. на том основании, что Алехин писал антисемитские статьи, а также участвовал в матчах на оккупированных немцами территориях. **2.** Однако и сам Эйве провел матч с Боголюбовым в 1941 г. в Карлсбаде. **3.** Эйве, среди или во главе прочих, настаивал, что Алехина следует лишить титула чемпиона мира. **4.** Но, как выяснилось, за разговорами о справедливости скрывалось желание завладеть титулом любыми способами — Эйве и Решевский сговорились разыграть первенство мира без Алехина и без советских шахматистов. На заседании Генеральной ассамблеи ФИДЕ в 1947 г. планировалось объявить решение: либо признать чемпионом Эйве без игры, либо объявить о поединке Эйве — Решевский. И если бы не вмешательство советской делегации, так бы все и было. **5.** И наконец, из-за Алехина Эйве оказался в ситуации не самой приятной. Ведь за ним навеки закрепилась слава человека, в упорной борьбе обыгравшего пьяного Алехина на одно очко. Стоило Алехину взять себя в руки, как Эйве уже проиграл ему шесть очков.

Что ж, мотив налицо: Эйве мог ненавидеть Алехина, навсегда поставившего его в унизительное положение, и понимать, что выиграть у него матч он, скорее всего, не сможет. Кроме того, Алехин одним своим существованием всегда бы напоминал Эйве об участии в организованных немцами состязаниях, то есть о том, о чем Эйве, возможно, предпочел бы забыть. Ради титула и мести он мог попытаться дискредитировать Алехина и лишить его звания чемпиона мира, но когда понял, что это не удастся, когда узнал, что уже ведутся переговоры с Ботвинником, приехал в Португалию и подкупил, например, официанта отеля «Парк», чтобы тот добавил Алехину цианид в кофе.

Это, конечно же, не обвинение, это всего лишь версия в ряду прочих. Мы рассматриваем самые разные версии и пытаемся понять: какая из них наиболее убедительна и каким может быть мотив убийства. А мотив может быть совершенно любым — от личной неприязни до политической борьбы. Вспомним, например, о Фултонской речи Черчилля, после которой мир приготовился к новой войне. Во всяком случае, США собрались противостоять СССР. И вдруг какой-то матч в Лондоне с участием советского шахматиста. Разве это не поспособствует сближению Великобритании и Советского Союза? Во всяком случае, такие мероприятия только противодействуют антисоветской пропаганде и не позволяют убедить население в чудовищности коммунизма. В льстивой по отношению к США Фултонской речи Черчилль посетовал, что «на картину мира, столь недавно озаренную победой союзников, пала тень. Никто не знает, что Советская Россия и ее международная коммунистическая организация намереваются сделать в ближайшем будущем и каковы пределы, если таковые существуют, их экспансионистским и верообратительным тенденциям». **«Англосаксонская версия»** появилась именно в связи с новым противостоянием, наметившимся между Западом и Россией. С. Н. Ткаченко почему-то предупреждает своих читателей: «Предвижу, что версия убийства Алехина западными спецслужбами многим покажется неправдоподобной. Но не спешите с полным ее игнорированием». Ну почему же! Эта версия представляется как раз таки более убедительной, чем убийство шахматного короля плановиками-синтетиками из НКВД. Заметим, что для Ткаченко «чекистская версия» стала приоритетной. И несмотря на всю ее абсурдность, исследователю она не кажется неправдоподобной. Происходит это в тех случаях, когда исследователь не ищет истину, а притягивает за уши факты, чтобы доказать уже известный ему вывод. А ведь П. А. Судоплатов отнюдь не был одинок в Европе и мире — все известные и сильные разведки занимаются диверсионной деятельностью, уничтожая врагов на чужих территориях. Конечно, матч Алехина с Ботвинником в Лондоне мог быть попросту не допущен или отменен. Но как быть с Фултонской речью? Ведь Черчилль ясно сказал, что «мы должны неустанно и бесстрашно провозглашать великие принципы свободы и прав человека, которые представляют собой совместное наследие англоязычного мира. <...> Таково послание британского и американского народов всему человечеству. Давайте же проповедовать то, что мы делаем, и делать то, что мы проповедуем». Получается, отменить матч нельзя — это значило бы ограничить свободу, то есть делать отнюдь не то, что проповедуется. Но и допустить матч нельзя — такое событие может привлечь слишком пристальное внимание и стать настоящим праздником, сродни встречи на Эльбе. А это сейчас уж совсем ни к чему. Не проще ли убрать неудобного чемпиона, чтобы не допустить никакого сближения с Советами?.. Учитывая, что Португалия с Великобританией давние и хорошие подружки — даже Черчилль в Фултонской речи отметил: «Наш союз с Португалией действует с 1384 года и дал плодотворные результаты в критические моменты минувшей войны...» — то сложностей с подготовкой операции не должно было быть. Словом, «англосаксонская версия» выглядит наиболее правдоподобной и мотивированной.

Но помимо версий политических и профессиональных, существует версия весьма приземленная и даже банальная, а именно — **«версия ограбления»**. Об этом вскользь упоминает Р. Нашсименто, ссылаясь как на собственный опыт общения с Алехиным, так и на статью в «Diário de Lisboa» «Тайна комнаты 43» известного и весьма уважаемого португальского журналиста Артура Портела. Статья Портела вышла в апреле 1946 г. и представила читателю сказочный набор — тут были и партия Алехина с «царем Всея Руси», и присвоение отцу гроссмейстера маршальского звания, и обвинения в попытках самоубийства, о чем никто, кроме Портела, не знал, и встреча накануне смерти с актрисой Вероникой Лейк, в начале 1946 г. разбиравшейся с собственными проблемами за океаном, и много чего другого примерно той же степени реалистичности и вероятности. Однако и Портела, и Нашсименто, знавший Алехина лично, уверяют, что у него в номере хранилась большая ваза из севрского фарфора, которую он якобы намеревался преподнести новому чемпиону. Но после смерти эта ваза исчезла. Та ваза, что видна на фотографиях, вероятно, родом не из Севра. И вот по поводу пропажи вазы Нашсименто высказал такую догадку, основанную, по его собственному признанию, «на письменных и личных свидетельствах». Бельгийский скрипач-виртуоз Э. Изаи скончался в Брюсселе 12 мая 1931 г. Накануне его смерти, по свидетельству лечащего врача

Ларуэля, к нему явился молодой скрипач Ф. Ньюман. Изаи попросил сыграть что-нибудь, и молодой человек исполнил просьбу мэтра, последними словами которого были: «Великолепно... финал, немного быстрее... возможно...»

Шли годы, и вот как-то Нашсименто познакомился в Португалии со скрипачом Ньюменом. Тот преподавал в консерватории, где дал несколько концертов в разное время. А еще Ньюмен слыл обладателем скрипки Гварнери или, как утверждает Нашсименто, «драгоценной скрипки Изаи».

Вспомним, что в Москве с Ньюменом встречался А. А. Котов, которому скрипач поведал о своей дружбе с Алехиным, о том, что незадолго до смерти шахматного короля он играл для него в № 43 романс А. Е. Варламова «Не шей ты мне, матушка, красный сарафан». Алехин слушал молча и так же молча плакал. Нашсименто уверяет, что никто в то время не знал в Лиссабоне о встречах Ньюмена с Алехиным, но в этом, возможно, и нет ничего удивительного. Было в этих встречах что-то интимное, что-то такое, что не должно было покидать стены комнаты, о чем и гроссмейстер, и музыкант предпочитали не говорить.

Потом Алехин, готовившийся к встрече с Ботвинником, внезапно умер, а Ньюмен отправился в США, прихватив с собой, конечно же, скрипку Гварнери, стоимость которой на тот момент, по утверждению Нашсименто, составляла около пяти миллионов эскудо, к концу же XX в. эта стоимость выросла до двухсот миллионов эскудо. Но тогда же из комнаты Алехина исчезла севрская ваза, цена которой, конечно, отнюдь не сравнится со скрипкой Гварнери, а все же вещица, видимо, была симпатичная. Эти совпадения показались Нашсименто странными — уж больно примечательна склонность Ньюмена «давать скрипичные концерты, когда смерть стоит на пороге». Но, повторимся, это тоже всего лишь версия.

Столица нейтрального во время войны государства, Лиссабон в 40-е гг. был наводнен самыми разными и неожиданными людьми. Сюда съезжались шпионы, бежали от расовой теории евреи, стекались беженцы, не имевшие возможности или желания отстаивать свободу с оружием в руках. Свободному от немцев Лиссабону, озаренному яркими огнями ресторанов и казино, городу, куда устремлялись беглецы со всей Европы, посвящен роман Э. М. Ремарка «Ночь в Лиссабоне». Кто знает, что может произойти в городе, похожем на Вавилон? Какие тайны умирают на его стогнах, какие загадки таятся в его чреве?.. Можно сложить и некую **«шпионскую версию»**, обвинив в убийстве Алехина каких-нибудь шпионов, толкавшихся в Лиссабоне, но это будет уж совсем отвлеченная и ни на чем не основанная догадка.

Но гадать, перебирая фантазии, как затейливые четки, занятие неблагодарное. Все, что мы можем — это собрать по возможности факты и попытаться хоть что-то понять. А потому рассмотрим, наконец, самую убедительную версию, то есть **«версию естественную»**. Но для начала вспомним и уточним несколько важных деталей. Прежде всего, что нам известно о смерти и здоровье Александра Алехина.

1. В свидетельстве о смерти от 27 марта 1946 г. указана следующая причина: «удушье, вызванное обструкцией верхних дыхательных путей куском мяса». Документ подписан доктором А. д`Агияром и служащей пункта регистрации актов гражданского состояния М. Т. да Кошта Монтейро де Фигейредо. При этом точное время смерти не указано, написано «в 11 часов 24 марта <...> скончался...». Но в 11 часов был обнаружен труп, скончался Алехин раньше. Отсутствие в свидетельстве о смерти точного указания на время может говорить о некоторой небрежности установки причин смерти.

Судя по тому, что гроссмейстер вернулся домой в 23.40, запросил ужин и сел за стол, на котором стояли тарелки с едой, он приступил к ужину и скончался во время еды.

2. Португальский писатель и шахматист, автор книги об Алехине «Шах и мат в Эшториле» Д. Маркл пишет, что в отчете о вскрытии значились выявленные атеросклероз и хронический гастродуоденит.

3. Ф. Люпи рассказывал, что, приехав в отель «Парк» примерно к полудню 24 марта, он заметил на губах трупа немного пены. Правда, по этому поводу не раз упомянутый С. Н. Ткаченко предположил, что Алехина могли убить на улице, притащить в отель, бросить в кресло, а пену нанести искусственную. Но ответа на вопрос «зачем?» Ткаченко не дает. В самом деле, среди сторонников версии убийства бытует мнение о перемещении трупа. Якобы убийство произошло за несколько дней до 24 марта на улице, после чего труп кто-то перенес в гостиницу и усадил в кресло, на что указывают и смятые полы пальто. О полах пальто мы уже говорили выше, это не может свидетельствовать ровным счетом ни о чем. Скорее, можно предположить, что человек смертельно устал или плохо себя чувствовал, а потому не обращал на такие мелочи внимания. А вот перемещение трупа с места на место — стопроцентная фантазия, не выдерживающая критики. Для того чтобы занести в отель труп незамеченным, нужно умудриться миновать персонал, посетителей и вообще случайные взгляды. Коротко говоря, войти в гостиницу с трупом крупного пятидесятилетнего мужчины незамеченными попросту нереально. Но даже если представить себе такую невозможную комбинацию: на время удалось отвлечь внимание метрдотеля, портье, консьержа, горничных, официантов, технического персонала, постояльцев — всех тех, кто в любой момент может появиться в любом месте или выглянуть из любого окна, после чего пронести в отель труп человека, скончавшегося несколько дней назад, оставить его в комнате и нанести на губы пену, то возникает другой вопрос: зачем нужна эта пена, и если кто-то так старательно пытался сымитировать смерть, то почему не расправил пальто? Тут же и еще один вопрос: на трупе, неизвестно где проведшем несколько дней, не может не быть следов начинающегося разложения, но ни о чем таком никто не написал и не сказал. В свидетельстве о смерти не указано время кончины, но если бы Алехин к 24 марта уже несколько дней был мертвым, это обстоятельство заметили бы и врачи, и практикант А. Ж. Феррейра, и полиция, и даже оба Люпи. Если же предположить, что все они заметили следы тлена, но все упорно молчали, это только еще раз опровергнет чекистскую версию и подтвердит версию англосаксонскую. Советские спецслужбы не были желанными гостями в Португалии Салазара, в отличие, например, от британских. То есть никто бы не стал хранить в тайне советскую спецоперацию. А британскую — почему бы и нет. Есть и еще один немаловажный вопрос: даже если Алехин был убит на улице, тащить его в отель было бы крайне неосмотрительно, весьма рискованно и совершенно бессмысленно. Ну и лежал бы себе труп на улице, а когда нашли, зафиксировали бы смерть от сердечного приступа. К чему лишние риски и хлопоты?

Но вернемся к пене. Пена — это важный морфологический признак, могущий указать на причину смерти. Поэтому отмахиваться от пены на губах трупа точно не стоит.

4. Известно, что в 1914 г. немецкие врачи подтвердили негодность Алехина к службе. В анкете Коминтерна он написал, что не воевал по причине болезни сердца. В 1942 г. он перенес скарлатину — заболевание, которое дает осложнения на сердце. В частности, после скарлатины, особенно на фоне злоупотребления алкоголем, могут развиться эндокардит и миокардит. Эти сердечные заболевания способны стать причиной внезапной смерти от сердечной недостаточности, закупорки сосуда тромбом, аритмии.

5. За последние несколько лет до смерти врачи фиксировали у гроссмейстера повышенное давление, перенесенные сердечные приступы, депрессию и увеличенную печень. Последнее могло свидетельствовать о сердечной недостаточности.

6. Итак, нам известно, что у Алехина было плохое сердце и что вскрытие показало у него атеросклероз. Атеросклероз — это поражение артерий, сопровождающееся холестериновыми отложениями в сосудах, сужением их просвета и нарушением кровоснабжения. Атеросклероз сосудов сердца проявляется главным образом приступами стенокардии. Заболевание может привести к скоропостижной смерти, причем при очень быстрой смерти видимые очаги некроза не успевают образовываться, и на вскрытии могут быть обнаружены лишь начальные признаки атеросклероза.

7. Нам известно, что после перенесенной скарлатины у Алехина вполне могла развиться сердечная аритмия. Известный российский кардиолог, доктор медицинских наук, профессор В. Л. Дощицын в статье «Внезапная аритмическая смерть и угрожающие аритмии» подробно описал этиологию внезапной остановки кровообращения. Время наступления такой смерти исчисляется не часами, а минутами. И в этих случаях даже в наши дни вскрытие не всегда в состоянии выявить несовместимые с жизнью морфологические признаки.

8. Таким образом, смерть А. А. Алехина вполне могла наступить в результате нарушенного кровообращения. Причем в этом случае вскрытие не смогло бы установить причину смерти. Алехин мог почувствовать себя плохо еще на улице. Дойдя до гостиницы, он заказал ужин и в своем номере почти упал в кресло, не думая о том, чтобы поаккуратнее расправить пальто и вообще снять его перед едой. Ужин принесли и, возможно, немного отдохнув, он почувствовал себя лучше, принялся за еду. Но вдруг новый сердечный спазм. Вспомним, что на посмертных фотографиях правая рука его покоится на животе. Это могло получиться из-за того, что перед самой кончиной правой рукой он хватался за сердце. И вот именно после внезапной остановки сердечной и дыхательной функций на губах его могла появиться та самая пена, увиденная Ф. Люпи.

9. Но пена вполне могла появиться и в результате асфиксии, то есть закупорки дыхательных путей куском мяса. В книге «Судебная медицина» (под ред. В. И. Прозоровского) читаем: «Асфиксия (задушение) — это острое нарушение газообмена в организме. Чаще всего она происходит вследствие прекращения доступа воздуха или накопления в нем вредного для организма углекислого газа. В обоих случаях развивается кислородное голодание организма, приводящее в конечном итоге к смерти». При этом смерть от механической асфиксии наступает в течение нескольких минут. Если умерший страдал сердечным заболеванием, как в рассматриваемом нами случае, возможна и моментальная смерть от остановки сердца. То есть кусок мяса мог остаться в глотке после скоропостижной смерти от нарушения работы сердца, а могло получится и так, что сердце остановилось в связи с закупоркой дыхательных путей.

О том же пишет Д. Г. Левин, автор книги «Судебная медицина: конспект лекций»: «В ряде случаев небольшие предметы, раздражая слизистую гортани и трахеи, могут вызвать отек слизистой, рефлекторный спазм голосовой щели или рефлекторную остановку сердца. В последнем случае асфиксия не успевает полностью развиться, что будет констатироваться отсутствием ряда типичных признаков асфиксии. Таким образом, обнаружение инородного предмета в дыхательных путях является ведущим доказательством причины смерти». Другими словами, смерть от обтурационной асфиксии может наступить после того, как в ответ на перекрытие дыхательных путей инородным телом происходит рефлекторная остановка сердца. Особенно, если учесть, что сердце у Алехина было больное. В случае рефлекторной остановки сердца другие признаки асфиксии могут вообще отсутствовать.

Кого-то из исследователей смутило, что лицо трупа оставалось спокойным — Люпи даже сравнил его с лицом спящего. Из-за этого, в частности, асфиксия как причина смерти отвергалась, поскольку многим представляется, что подавившийся мясом человек должен умереть в страшных корчах и с выпученными глазами. Но это совершенно необязательно, тем более если смерть наступила мгновенно от остановки сердца. У асфиксии есть и другие, заметные невооруженным глазом признаки. При наружном осмотре трупа, например, наблюдается синюшность лица, особенно сильно выраженная в первые часы после кончины. Но через несколько часов она может исчезнуть вследствие стекания крови в нижележащие отделы. То есть к тому времени, когда в комнату № 43 гостиницы «Парк» вошли сотрудники полиции и двое Люпи, синюшность могла исчезнуть. А если вспомнить, что при рефлекторной остановке сердца другие признаки асфиксии могут вообще отсутствовать, то ничего удивительного ни в спокойном выражении лица покойного, ни в чистоте его кожных покровов и вовсе не остается.

До нас не дошло, обнаружили португальские врачи иные признаки асфиксии, кроме застрявшего в горле мяса, или нет. Важно, однако, еще раз подчеркнуть, что увиденная Люпи пена — это свидетельство в пользу удушья. К слову сказать, пена изо рта может пойти и в случае сильного отравления, то есть попадания в организм большой дозы яда. А при отравлении синильной кислотой, то есть цианидом, морфологические признаки схожи с признаками, проявляющимися при асфиксии. Однако в случае отравления цианидом запах миндаля сохраняется довольно долго, и при вскрытии врачи непременно почувствовали бы этот специфический дух. Но мы помним, что желудок покойного был исследован на предмет яда, и ни запаха миндаля, ни чего бы то ни было другого врачи при вскрытии не обнаружили. Можно предположить, что был использован какой-то редкий яд, не распознаваемый при вскрытии. Но такой яд, в отличие от цианида, купить в аптеке было невозможно, а значит, таким ядом могли располагать только спецслужбы. Впрочем, при наличии явных признаков атеросклероза и асфиксии странно подозревать ничем не подтверждаемое отравление.

Итак, собрав воедино все доступные нам факты, мы можем сделать вывод, что Александр Алехин с большой долей вероятности умер естественной смертью, вызванной нарушением кровообращения или удушьем. Возможно, закупорка дыхательных путей повлекла за собой остановку сердца, а может быть, у приступившего к трапезе гроссмейстера остановилось сердце, и кусок мяса остался непрожеванным и непроглоченным.

Конечно, мы не можем с уверенностью сказать, как умер шахматный король, был ли он убит по неведомой нам причине или ушел в мир иной обычными для всех дорогами. Не исключено, что истина так никогда и не откроется и смерть А. А. Алехина навсегда останется неизведанной тайной. Но одно можно сказать уверенно: никаких убедительных фактов, указывающих на то, что кончина шахматного гения была насильственной, нет. Ни одна из версий насильственной смерти не имеет материального подтверждения. И отнюдь не все версии связываются с убедительными мотивами предполагаемых преступников.

Зато есть люди, которым интереснее живется в мире загадок и тайн, шпионов и маньяков, всесильных органов безопасности и мирового правительства на службе у Антихриста. Не каждый может стать непревзойденным чемпионом мира по шахматам. Но каждому по силам придумать тайну, чтобы затем самому раскрыть ее. Для этого не нужна истина.

5
ИГРА БЕЗ ПРАВИЛ

Мы уже отмечали, что отнюдь не все исследователи биографии и наследия Александра Алехина отличаются добросовестностью. Немало попадается откровенных выдумщиков, причем самого разного толка. Ложь множится и растет как снежный ком. Но самое неприятное и даже опасное, когда с недобросовестным писателем начинают считаться коллеги, ссылаясь на его фантазии как на проверенные или доказанные факты; учитывая его мнение и цитируя рассыпающиеся аргументы.

Олицетворением такого рода исследователя стал теоретик и историк шахмат, международный мастер по шахматам, автор многих публикаций по истории шахмат В. Д. Чащихин, якобы опровергнувший причастность Алехина к «Арийским и еврейским шахматам» и доказавший, что в статьях речь шла совсем о другом. Более того, именно Чащихин настаивает на «чекистской версии», подменяя, правда, доказательства собственным страстным желанием. Но следует учесть, что г-н Чащихин — убежденный и даже фанатичный антисоветчик. А фанатизм в деле установления истины — отнюдь не лучший помощник, поскольку всегда работает на себя, а не на истину. Иными словами, фанатизм мешает объективному восприятию действительности и вынуждает исследователя выбирать факты, подтверждающие удобную гипотезу, а за неимением таковых фактов попросту их выдумывать. Г-н Чащихин, например, заявляет, что Алехин был первым антисоветчиком. Правда, почему именно первым, так и остается загадкой. Какой номер был у генерала Врангеля или адмирала Колчака — насчет общей нумерации г-н Чащихин не просвещает своего читателя. Зато он охотно оскорбляет уважаемых людей, не разделяющих его точку зрения, и выдвигает собственную теорию жизни и смерти Александра Алехина, зиждущуюся на выдумках и расхожих антисоветских мифах. Дальше и вовсе все упрощается до неловкости, особенно когда г-н Чащихин приписывает Алехину текст, который тот наверняка должен был написать. Вот именно не написал, а должен был написать. Пылкий г-н Чащихин рассуждает как московский юнкер образца 1918 г. Та же прямолинейность и фанатичная ненависть к большевикам и Советам, та же непримиримость ко всему, что не отвечает его воззрениям. Зато манерой клеймить несогласных или инакомыслящих «агентами КГБ» г-н Чащихин напоминает уже белоэмигранта, осевшего в Париже в 1920-е гг. Исследователь может ошибиться — ошибаются все, ошибался даже Алехин. Но чего исследователь не может себе позволять, так это становиться выдумщиком, а тем паче — тенденциозным выдумщиком. Но хуже всего, когда исследователь закладывает в основание своих изысканий песок вместо камня.

Стоит отметить, что антисоветских мифов существует сегодня довольно много. Все они довольно разные. Одни базируются на передергивании или намеренно искаженном толковании фактов; другие — на полуправде и недосказанности; но есть и третьи — выдуманные от первого до последнего слова. Вот именно такие россказни и заложил в основание своего исследования г-н Чащихин. В книге «Алехин: моя борьба»[1] г-н Чащихин пишет: «Мы знаем, что в то время (март 1941) в фашистской прессе столь же рьяно не допускался малейший антисоветизм, как и в советской — критика нацизма...» Вдумчивый читатель непременно споткнется об эту фразу, поскольку совершенно непонятно: кому, что,

---

[1] Название не говорит о деликатности автора. Здесь налицо явная перекличка с печально известной книгой под тем же названием. Выражение «моя борьба», благодаря А. Гитлеру, стало почти нарицательным словосочетанием. Однако г-н Чащихин словно не замечает, сколь плохую услугу оказывает человеку, который просто не в состоянии ему ничего возразить. Ставя рядом с именем А. А. Алехина слова «моя борьба», г-н Чащихин внедряет в сознание своих читателей невольную связь между русским шахматным гением и бесноватым немецким фюрером. Особенно если учесть, что книга г-на Чащихина посвящена антисемитским статьям (или, как ему угодно считать, статье), приписываемым перу А. А. Алехина. Всем маломальски образованным людям хорошо известно, что в книге Гитлера «Моя борьба» («Mein Kampf») излагается не просто автобиография — автор делится, среди прочего, опытом антисемитизма, рассказывая, как и когда возненавидел евреев. На этом основании название книги г-на Чащихина воспринимается как «тонкий намек на толстые обстоятельства». Но, скорее всего, г-н Чащихин не вполне понимает, что таковым названием поставил А. А. Алехина в один ряд с нацистами и как будто подтвердил выдвигаемые гроссмейстеру прижизненные обвинения в сотрудничестве с гитлеровским режимом. Одно это должно было бы насторожить исследователей и создать г-ну Чащихину репутацию недобросовестного автора, ссылаться на которого в серьезных изысканиях не следует.

из каких источников известно. Но в интернет-публикациях на ту же тему г-н Чащихин дает разъяснения. Оказывается, что 15 января 2003 г. было рассекречено секретное соглашение о сотрудничестве между НКВД и гестапо от 11 ноября 1938 г. «Согласно этому соглашению (среди прочего) в средствах массовой информации должны работать сотрудники этих служб, то есть в советских газетах — гестаповцы, а в немецких газетах — работники НКВД, именно с той целью, чтобы в советской прессе не было критики фашизма и нацизма, а в немецкой прессе отсутствовали антисоветизм и антикоммунизм. Итак, статья «Arisches und judisches Schach», написанная Алехиным, была отредактирована НКВД и гестапо. Поэтому Алехина обвинять нельзя!» Собственно, все доказательства г-на Чащихина непричастности Алехина к статьям отталкиваются от этого утверждения. Причем, что любопытно, книга «Алехин: моя борьба» выходила в 1992 г., а, по утверждению г-на Чащихина, рассекреченные документы были опубликованы в 2003 г. То есть, когда он писал: «Мы знаем, что в то время (март 1941) в фашистской прессе столь же рьяно не допускался малейший антисоветизм, как и в советской — критика нацизма...», он, вероятно, имел в виду что-то другое — например, Пакт Молотова — Риббентропа. Но Пакт не регулировал взаимоотношения прессы двух стран. Тогда что же имел в виду г-н Чащихин? Уж не знал ли он заранее, что вскоре в России рассекретят такой важный документ? Кстати, о документе.

Действительно, примерно с 2003 г. в интернете появился «документ» под названием «Генеральное соглашение. О сотрудничестве, взаимопомощи, совместной деятельности между Главным управлением государственной безопасности НКВД СССР и Главным управлением безопасности Национал-Социалистической рабочей партии Германии (гестапо)». «Документ» слеплен настолько топорно, что уже первый его абзац вызывает улыбку, поскольку по стилистике это соглашение больше напоминает договор между какими-нибудь российскими ИП и ОАО, заключенный в начале XXI в.: «гор. Москва 11 ноября 1938 г. Народный Комиссариат Внутренних Дел Союза ССР, далее по тексту НКВД, в лице начальника Главного управления государственной безопасности, комиссара госбезопасности 1 ранга Лаврентия БЕРИЯ, с одной стороны, и Главное управление безопасности Национал-Социалистической рабочей партии Германии, в лице начальника четвертого управления (ГЕСТАПО) Генриха МЮЛЛЕРА, на основании доверенности N1448/12—1, от 3 ноября 1938 г., выданной шефом Главного управления безопасности рейхсфюрером СС Рейнхардом Гейдрихом, далее по тексту ГЕСТАПО, с другой стороны, заключили настоящее генеральное соглашение о сотрудничестве, взаимопомощи, совместной деятельности между НКВД и ГЕСТАПО». Приводить весь «документ» не имеет, пожалуй, смысла — его легко найти в интернете. А вот рассказать о том, что эта писулька из себя представляет, можно и нужно. В конце концов, именно на этой грамоте основана позиция г-на Чащихина, доказавшего много разных истин. Представив себе, на чем основывается г-н Чащихин, можно окончательно решить, стоит ли ему верить и, главное, стоит ли впредь на него ссылаться как на заслуживающий внимания источник.

Итак, некое соглашение «во имя безопасности и процветания обеих стран» заключено не между главами этих стран, не между руководителями министерств иностранных дел и даже не между руководителями соответствующих ведомств — Берия был назначен наркомом внутренних дел СССР только 25 ноября 1938 г. Но помимо процветания стороны договорились бороться с «международным еврейством и дегенерацией». Под дегенерацией согласились считать следующих людей: «рыжие; косые; внешне уродливые, хромоногие и косорукие от рождения, имеющие дефекты речи: шепелявость, картавость, заикание (врожденное); ведьмы и колдуны, шаманы и ясновидящие, сатанисты и чертопоклонники; горбатые, карлики и с другими явно выраженными дефектами, которые следует отнести к разделу дегенерации и вырождения; лица, имеющие большие родимые пятна и множественное кол-во маленьких, разного цвета кожное покрытие, разноцветные глаза и т. п. Стороны дополнительно определят квалификацию типов (видов) дегенерации и знаков вырождения. Каждая из сторон определит соответствующий (приемлемый) лимит и программу по стерилизации и уничтожению этих видов». Кто-нибудь слышал от дедушек или бабушек, чтобы перед войной отлавливали рыжих или косых?.. И кто-нибудь видел протоколы отлова, то есть документы, фиксирующие исполнение договоренности?

Следующий вопрос: почему, рассуждая о дружбе и сотрудничестве, о процветании и безопасности, об отлове «дегенератов» и пр. в том же роде, Берия и Мюллер забывают о войне в Испании, где Германия и СССР фактически вступили в вооруженную борьбу? И почему в открытом, не засекреченном Пакте Молотова — Риббентропа ничего не говорится о «дружбе и сотрудничестве между народами»?

Далее. В процитированном выше отрывке из «документа» читаем: «Главное управление безопасности Национал-Социалистической рабочей партии Германии, в лице начальника четвертого управления (ГЕСТАПО) Генриха МЮЛЛЕРА». Но никакого такого управления в Германии не существовало. Гестапо, или политическая полиция, являлось частью Главного управления имперской безопасности (РСХА), образованного в сентябре 1939 г., то есть спустя почти год после подписания рассматриваемого соглашения. Кроме того, никакого «рейхсфюрера СС Рейнхарда Гейдриха» тоже не существовало, был обергруппенфюрер СС Р. Гейдрих. А кто и когда видел, чтобы советские документы подписывались не инициалами, а одним именем? Где-нибудь зафиксирована подпись Вячеслава Молотова, или Иосифа Сталина, или Климента Ворошилова? Так с чего бы Л. П. Берия подписывал документы как просто Лаврентий? И еще раз обратим внимание, что Г. Мюллер — это не глава всего ведомства, в данном случае некоего управления безопасности Национал-Социалистической рабочей партии Германии, он возглавляет структуру, входящую в состав РСХА. Но и само управление имперской безопасности — это часть СС. То есть соглашение между НКВД и Гестапо — это примерно то же самое, что и соглашение между СС и плановым отделом НКВД. А подпись Мюллера против подписи Берии — это примерно то же самое, что подпись Вайнштейна против росчерка Гиммлера.

В «документе» этом много еще чего интересного. Только углубляться в эти нелепости, пожалуй, дальше не стоит, поскольку и так уже понятно, что перед нами — нелепая и довольно корявая фальшивка. Нам лишь важно уяснить, что доказательная база г-на Чащихина о непричастности Алехина к статьям из «Pariser Zeitung» основана на 100%-ной лжи. А потому цена таким доказательствам весьма невелика. Кроме того, остается вопрос: что имел в виду г-н Чащихин в 1992 г., когда писал: «Мы знаем, что в то время (март 1941) в фашистской прессе столь же рьяно не допускался малейший антисоветизм, как и в советской — критика нацизма...»? Либо он вообще ничего не подразумевал под этими словами, либо сам имеет отношение к рассмотренной фальшивке. И опять же: ни то, ни другое не прибавляет веса его утверждениям.

Далее г-н Чащихин проводит разбор статей (или, как он настаивает, статьи) Алехина, разбирая и комментируя едва ли не каждый абзац. Комментарии эти довольно занятные, разбирать каждый из них опять же не имеет смысла, поэтому для примера можно взять лишь несколько отрывков.

Итак, **абзац № 7**. *Что, собственно, представляют собой еврейские шахматы, еврейская шахматная мысль?*

Комментарий г-на Чащихина[1]: «Это предложение в какой-то мере может претендовать на начало статьи, на абзац № 1, ибо вынося новый термин в заголовок, автор естественно обязан начинать первое предложение с толкования нового термина. Очевидно в редактуре участвовало несколько сотрудников «Паризер цайтунг», материал «перелопачивался» в спешке — так первая страничка могла оказаться второй, третьей». (Орфография и пунктуация сохранены.)

Абсолютно вольная трактовка, имеющая, конечно, право на существование, но никому и ни о чем не сообщающая. И прежде всего потому, что неизвестно, к кому она относится. Кем перелопачивался материал Алехина? Что это были за люди? Какие цели ставили перед собой? Рассуждая, например, вообще о полиции, можно предположить некую модель поведения, поскольку у полицейских есть должностные инструкции, в соответствии с которыми разные люди с разным темпераментом и разными манерами ведут себя если не одинаково, то похоже. Но кто правил статьи Алехина? Профессиональный редактор? Шахматист? Убежденный наци? Или обиженный судьбой мечтатель? «Это предложение в какой-то мере может претендовать на начало статьи», — написал г-н Чащихин. Что ж, может претендовать, а может и не претендовать. Эти соображения настолько общие и отвлеченные, настолько далекие от реальности, что расценивать их как часть какого-то серьезного анализа или опровержения нельзя. Такие аргументы могут

[1] http://xn-80aaa5asd7agcy5a.xn — p1ai/Bases/Enz/A/ ALEKHINE/o_state_alekhina.pdf

варьироваться до бесконечности. Придет другой ниспровергатель и скажет: «Совершенно очевидно, что это предложение могло быть написано только в середине статьи. Ибо ни один пишущий человек никогда не начнет серьезную статью с места в карьер. И прежде, чем ввести новый термин, сделает пространное вступление, где обрисует подробно предмет исследования, расскажет о задачах и целях своей работы, введет читателя в курс дела и только потом приступит непосредственно к теме изыскания». Придет третий и скажет еще что-нибудь, а четвертый станет спорить с пятым и шестым... И так без конца. То, как поступил бы в аналогичной ситуации г-н Чащихин, никому ни о чем не говорит.

А вот другой пример. **Абзац № 33**. *Поэтому он и агрессивнее других еврейских мастеров как по характеру, так и по игре в шахматы. Тем не менее его общая шахматная концепция чисто традиционна: никакого риска. Своей цели он стремится достичь сравнительно новым способом: не путем выжидания или обороны, а путем более глубокого изучения дебютных вариантов. Чтобы улучшить свои шансы в практической игре, он, например, взялся за модернизацию старинного английского учебника Гриффитса и Уайта. При этом ему пришлось проработать тысячи и тысячи дебютных вариантов. Превосходя по уровню знаний современной теории прочих участников АВРО-турнира 1938 года, он, ко всеобщему удивлению, добился там частичного успеха, который вряд ли когда-нибудь повторится. Бедная шахматная Америка. Следует упомянуть еще двух современных еврейских мастеров: Решевского и Бот-*

винника. Восточно-еврейский вундеркинд (было уже столько вундеркиндов этой расы во всех сферах искусства, почему бы хоть разок не появиться еврейскому шахматному вундеркинду), Самуил Решевский с 5-летнего возраста систематически используется своими тоже еврейскими импресарио. Но в тот период (1919—1922) во всех опьяненных военной победой демократических странах денег хватало на любой аппетит. Неудивительно, что Решевский, которому сейчас где-то около 30 лет, за это время не только американизировался и принял гражданство США, но и приобрел состояние, доходы с которого могли бы позволить ему заниматься шахматами, давшими ему все как чистейшему любителю.

Комментарий г-на Чащихина: «Алехин, как профессиональный литератор, затрагивая какую-либо тему, всегда пользовался соответствующей литературой по данной теме. Вот он описывает микроэпизод из турнира Лондон-1851, но ради точности даже в хорошо известной ему шахматной теме он не полагается на свою память, а педантично берет в руки книгу самого Стаунтона, чтоб не допустить и малейшей неточности даже в микроэпизоде. И, разумеется, если бы он вдруг вздумал писать о ЕВРЕЙСТВЕ, да еще с далеко идущими обобщениями, то наверняка бы запасся подходящей литературой на сей счет, а в то время в Западной Европе, в отличие от Советского Союза, литературы по «еврейскому вопросу» было вполне достаточно. Но из текста всей статьи очевидно, что Алехин (точнее — автор, пишущий от имени Алехина) никак не знаком с этой темой. Так автор (пишущий от имени Алехина) ошибочно полагает, что Решевский американизировался. Но если бы он хотя бы раз в жизни прочитал хоть что-то о еврействе, то знал бы, что евреи не могут ни американизироваться, ни обрусеть... Вот что говорил на сей счет сам Решевский: «Я еврей, а уж только потом Американец». (Орфография и пунктуация сохранены.)

Начнем с самого начала. Откуда г-ну Чащихину известно, что Алехин «всегда пользовался соответствующей литературой» по той или иной теме? Может быть, в каких-то случаях пользовался, а в каких-то и нет. Эта не идущая к делу уверенность опять же ничего не доказывает. А откуда знает г-н Чащихин, что Алехин «не полагается на свою память, а педантично берет в руки книгу самого Стаунтона»? Что такое память Алехина, мы имели удовольствие убедиться выше. Более того, память шахматного короля стала притчей во языцех, об этой памяти едва ли не слагаются легенды. Он помнил все свои партии, мог восстановить по памяти сыгранную несколько лет назад игру, вспоминал людей, виденных им однажды. Причем с такими подробностями, что приводил их в ужас и обращал в бегство. Но г-н Чащихин уверен, что гроссмейстер на свою память не полагался. Но допустим. Тогда совершенно непонятно, что означает утверждение, будто «в Западной Европе, в отличие от Советского Союза, литературы по «еврейскому вопросу» было вполне достаточно»? Какой именно литературы по еврейскому вопросу не было в Советском Союзе? Из высказывания г-на Чащихина можно заключить, что такой литературы в Союзе был недостаточно. То есть она была, но на всех желающих ее не хватало. Но все-таки непонятно, какой именно литературы о евреях было достаточно в Западной Европе и не хватало в СССР. Если же г-н Чащихин уверен, что статьи правили нацистские редакторы, то уж кому как не им знать, кто такие евреи. Но если кто-то написал, что еврей Решевский американизировался, это вовсе не означает, что написавший не имел представления о евреях. Во-первых, потому, что «американизироваться» значит всего лишь перенять американский образ жизни. Судя по фотографиям Решевского, он не носил пейсов, ермолок, кнейчей, лапсердаков. Он коротко стригся и облачался в обычного кроя мужской костюм. Возможно, он усвоил и другие привычки и вкусы американцев, то есть как раз таки американизировался, не забывая при этом о собственном происхождении. К тому же утверждение г-на Чащихина, что «евреи не могут ни американизироваться, ни обрусеть» слишком категорично. Какие-то, конечно, не могут, а другие очень даже могут. Особенно если речь идет о нерелигиозных евреях.

Приведем еще несколько примеров рассуждений г-на Чащихина. **Абзац № 66.** *И поскольку я проиграл матч, отстав от соперника всего на одно очко, то берусь утверждать категорически, что если бы я своевременно распознал тот особый* (**Комментарий г-на Чащихина** следует читать: коммунистический) *дух, которым сопровождалась организация матча, Эйве никогда не отвоевал бы у меня титул даже на самое короткое время. Во время матча-реванша в 1937 году также было приведено в движение все шахматное еврейство* (**комментарий г-на Чащихина** следует читать: вся большевистская сволочь). *Большинство еврейских* (**комментарий г-на Чащихина** следует читать: просоветских) *мастеров были задействованы в пользу Эйве в качестве корреспондентов, тренеров и секундантов. К началу этого 2-го матча у меня уже не было никаких сомнений: мне предстояла борьба не с голландцем Эйве, а со всем шахматным еврейством* (**комментарий г-на Чащихина** следует читать: со всем шахматным интернационалом). *Моя убедительная победа (+10, — 4) на самом деле стала победой над еврейским заговором* (**комментарий г-на Чащихина** следует читать: над советским заговором).

На матчах Алехина с Эйве в 1935-м и 1937 гг. мы подробно останавливались выше. Но откуда на встрече в 35-м взялся «коммунистический дух», а в 37-м — «большевистская сволочь» — решительно непонятно. Откуда среди голландских евреев столько коммунистов, что можно говорить о «шахматном интернационале» или «советском заговоре» — не известно вообще никому. Кроме, возможно, самого г-на Чащихина. И, наконец, в чем именно состоял советский заговор, просто невозможно себе представить. Не иначе в том, чтобы всеми правдами и неправдами добиться выигрыша Эйве. В организации матчей Алехина с Эйве было действительно задействовано много евреев, но какое все они имели отношение к СССР, не знает никто.

Абзац № 67. *При этом, однако, я хочу категорически подчеркнуть, что мои шахматные сражения никогда не носили личного характера, а всегда были направлены против шахматно-еврейской идеи.*

Комментарий г-на Чащихина: следует читать: против засилья шахматного мира коммунистической заразой. (Орфография и пунктуация сохранены.)

Почему же именно так следует читать? Да потому что г-н Чащихин, повинуясь собственному фанатизму, утверждает, что в статьях «Арийские и еврейский шахматы» вместо слов «еврейские», «евреи» следует читать «советские», «Правительство Советского Союза» и т. д. Никакого серьезного обоснования своим предположениям г-н Чащихин никогда не дает. Преклоняясь перед гением Алехина и ненавидя в то же время советский строй, г-н Чащихин желал бы, чтобы и его кумир любил и ненавидел с ним в унисон. Так Алехин и превратился в первого (почему-то) антисоветчика, а вся его биография — в сплошную фантасмагорию. Например, что касается цитируемых статей, дело, по мнению г-на Чащихина, было так. Александр Александрович Алехин, как первый и убежденный антисоветчик, написал для гитлеровского журнала «Pariser Zeitung» антисоветскую шахматную статью. Но поскольку существовал некий договор между гестапо и НКВД (как вариант — Пакт Молотова — Риббентропа), запрещавший Германии и СССР дурно отзываться друг о друге в прессе, то немецкая редакция «Pariser Zeitung» заменила все антисоветские выпады на выпады антисемитские, убив тем самым нескольких вальдшнепов. Удалось, во-первых, избежать нарушения мифического договора с НКВД (как вариант — Пакта Молотова — Риббентропа), во-вторых, поддержать расовую теорию, в-третьих, задействовать в нацистской пропаганде чемпиона мира по шахматам и, в-четвертых, самого чемпиона зацепить пропагандистским крючком, что позволило бы отныне манипулировать им.

Но ведь цель любого исследования — поиск истины. У г-на Чащихина своя цель — доказать, что Алехин ненавидел коммунистов, а коммунисты ненавидели Алехина. То есть результат исследования известен заранее, поэтому не вывод делается из фактов при помощи логики, а факты подверстываются под вывод, логика же и вовсе отбрасывается как ненужная роскошь.

Кроме статей из «Pariser Zeitung» г-н Чащихин с той же энергией и неистовостью рассматривает и другие фрагменты и события из биографии Александра Алехина. Но каждый раз он остается верен себе. Разбирать все, что им написано, не имеет никакого смысла, поскольку написанное — это насилие над здравым смыслом, в чем легко можно убедиться на нескольких примерах. Вот, скажем, г-н Чащихин разоблачает «советские фальшивки» и «преступления большевистской сволочи»: «В 1956 году появилась идея перезахоронения праха А. А. Алехина. И в этой связи нужно было как-то доказать международной общественности, что дескать сам Алехин мечтал вернуться в Россию — так пришли к идее создания фальшивых писем, якобы адресованных в «64» (от 24 июля 1936 и от 1 сентября 1936). Труднее всего оказалось убедить международную общественность в том, что правительство СССР не станет глумиться над прахом великого гения. [Я был в 1983 году в Челябинске и видел как одна из новостроек шла прямо по погосту. При этом никаких перезахоронений не делалось. Сваи забивались прямо в могилы. Жуткая картина — жилые девятиэтажные дома стоят в центре кладбища; и на погибшем погосте играют дети.][1]» (Орфография и пунктуация сохранены.)

Обращаем внимание, что все приведенные цитаты — это вполне законченные, не вырванные из контекста мысли.

Итак, о нескольких посланиях Алехина в Советский Союз упоминалось выше. В отечественной печати не раз публиковались снимки этих писем. Но г-н Чащихин считает, что это фальшивки. Почему? Просто потому, что ему так хочется; потому, что так он может доказать желаемое. На письмах, кстати, стоит подпись Алехина с характерным начертанием буквы «А». Но г-н Чащихин все равно настаивает, что это подделка. Так, может быть, стоит для начала провести графологическую экспертизу, а уж потом утверждать, что это подделка? Но даже если бы Алехин не мечтал вернуться в Россию, то письма — хоть подлинные, хоть поддельные — никак не смогли бы убедить «международную общественность» отправить тело гроссмейстера на Родину. В таких вопросах обращают внимание совсем на другое. В частности, на происхождение человека, на его завещание, на мнение наследников. Но не на какие-то письма, в которых человек ничего не писал о том, хотел бы он быть захороненным на Родине или нет. Но даже если бы такие письма имели хоть какое-то юридическое значение, то, на-

---

[1] http://fishka.spb.ru/artickles/history/bessmertie/247.htm

верное, «международная общественность» позаботилась бы об установлении их подлинности. То есть в этом случае графологической экспертизы было бы не миновать. И конечно, советская сторона прекрасно об этом знала бы и, разумеется, сто раз бы подумала: а имеет ли вообще смысл подделывать письма для того, чтобы в чем-то убедить «международную общественность», если обман может раскрыться на счет «раз-два-три».

Но оказывается, что за СССР тянулась слава потрошителя трупов, так что правительство СССР так и не смогло убедить «международную общественность», что не станет глумиться над телом Алехина. Другими словами, эта самая общественность не отдала прах гроссмейстера только потому, что была уверена: Советы выпрашивают кости, чтобы поглумиться (трудно себе представить, что должно быть в голове у человека, транслирующего в мировой эфир подобные умозаключения). Доказательства тому, что в СССР только и делали, что глумились над останками умерших, г-н Чащихин не преминул явить миру. Оказывается, он видел в Челябинске, как сносилось старое кладбище, а застройка шла прямо по погосту. Может быть, такое и было — чего только не бывает, особенно в стране, занимающей 1/6 часть суши. Но сделать на этом основании вывод, что глумление над покойниками давно стало прочной нормой или традицией, зная о которой «международная общественность» даже не захотела выдавать тело Алехина, — это значит как минимум не отличать частное от общего. Интересно, к 2005 г., например, когда в Россию перевезли останки А. И. Деникина и И. А. Ильина, «международная общественность» уже отказалось считать Россию местом, где регулярно глумятся над трупами?

А вот другой пример: г-н Чащихин доказывает, что М. М. Ботвинник повинен в смерти Алехина: «В 1946 году был организован всемирный бойкот Алехина — ему запрещено участвовать в шахматных турнирах, выступать с лекциями и сеансами, то есть ему фактически запрещено жить (на войне, как на войне). Его принуждают играть матч с Ботвинником. Разумеется, этот матч планируется не для нового триумфа Алехина — речь могла идти только об игре в «поддавки» со стороны Алехина и предполагалось обсудить условия, на которых он мог уступить свой титул... Но Алехин ни на какие условия не соглашался и его пришлось убить — на войне, как на войне!»[1] (Орфография и пунктуация сохранены.)

Бойкот Алехину объявили западные коллеги, матч с Ботвинником предложил СССР. Прямой связи между этими обстоятельствами нет. Откуда известно г-ну Чащихину, что Алехина вынуждали играть в «поддавки»? Откуда ему известно, что Алехин на это не соглашался, тем более что обсуждение только предполагалось, но даже не начиналось? Все это взято г-ном Чащихиным из собственной головы, но преподнесено как факт.

В другом месте он пишет: «В этой книге (В. Д. Чащихин. «Шахматные битвы» — М.: «ДатаСтром», 1993. — С.З.) был дан портрет и самого М. Ботвинника, который жестоко расправлялся со своими шахматными конкурентами: одних направлял в лагеря смерти

---

[1] В. Д. Чащихин. Шахматные битвы — М.: ДатаСтром, 1993.

(В. Петров, М. Измайлов), других лишал спортивного звания (Б. Берлинский, А. Модель, В. Созин), а против Г. Левенфиша плел интриги в ЦК...»[1] (Орфография и пунктуация сохранены.)

Где доказательства? Нет доказательств. И потом, если Ботвинник в состоянии отправить кого-то в лагерь смерти, зачем разменяться на интриги и лишение звания? Не проще ли было бы всех скопом упечь по разным лагерям?

Читаем дальше: «А ведь существуют факты и даже высказывания самого Ботвинника, которые и прямо и косвенно указывают на него, как непосредственного руководителя всей операции по физическому уничтожению А. А. Алехина. Ботвинник в книге «Аналитические и критические работы. Статьи. Воспоминания» (М. ФиС, 1987) пишет, что Подцероб сообщил ему (по телефону из Португалии) о смерти Алехина через три часа после установления факта смерти. Получается, что Ботвинник очень точно знал дату и час смерти Алехина (но все-таки нигде не назвал ее). Более того: ему во всех подробностях должна быть известна истинная причина смерти»[2]. (Орфография и пунктуация сохранены.)

Если существуют такие высказывания Ботвинника, почему г-н Чащихин нигде и никогда их не приводит, а лишь многозначительно намекает? Каким образом инженер и шахматист Ботвинник (пусть даже и обласканный властью) мог стать руководителем спецоперации по ликвидации гражданина иностран-

---

[1] http://fishka.spb.ru/artickles/history/bessmertie/247.htm
[2] Там же.

ного государства на территории недружественной СССР державы? Неужели г-н Чащихин даже не догадывается, что разведывательно-диверсионная деятельность требует от человека не меньшей подготовки и опыта, чем, скажем, шахматы? И самое главное. В книге Ботвинника «Аналитические и критические работы. Статьи. Воспоминания» **нет указаний** на то, что советский дипломат и шахматист, старший помощник министра иностранных дел СССР Б. Ф. Подцероб звонил Ботвиннику из Португалии. Вот буквальная цитата из книги: «В воскресенье, 24 марта 1946 года, к нам пришли друзья. Беседуем, пьем чай. Телефонный звонок. — Говорит Подцероб, — слышу четкую знакомую речь. — Страшная новость. Три часа назад неожиданно умер Алехин...»[1] Более в книге нет ничего об этом звонке, нет упоминаний о том, что звонил Подцероб из Лиссабона, Эшторила или Виламоры. Кроме того, из этой цитаты никак не следует, что «Ботвинник очень точно знал дату и час смерти Алехина». О том же, как именно новость распространилась по миру, довольно подробно описано выше.

Досталось от г-на Чащихина и П. Морану, и Ю. Н. Шабурову, и И. М. Линдеру, и Ф. Люпи... но всякий раз разоблачения все так же лживы и нелепы. Люпи, как утверждает г-н Чащихин, вообще «писал под дулом пистолета» (пистолет к его виску приставил, разумеется, лично Судоплатов), а потому «вся его галиматья не заслуживает доверия». В том,

---

[1] М. М. Ботвинник. Аналитические и критические работы 1928—1986: Статьи, воспоминания. — М.: Физкультура и спорт, 1987. — 528 с. С. 425.

заслуживает ли доверия написанное самим г-ном Чащихиным, мы уже разобрались. Обратим лишь внимание на примерный уровень претензий г-на Чащихина к Люпи.

Так, он приводит слова Люпи о пристрастии гроссмейстера к алкоголю: «В послеполуденное время, когда мы проходили мимо кафе, Алехин сказал, избегая смотреть в глаза: «Я должен купить сигарет. У меня их совсем не осталось». И попросил меня подождать, пока он сходит в кафе и купит их. Я ждал, но так как он отсутствовал долго, решил пойти вслед. И тогда я увидел, что он взял бутылку портвейна и опорожняет стакан за стаканом». Как же возражает на это г-н Чащихин? В обычной своей манере: «Когда человек врет или фантазирует, то выстраивает такую концепцию, в которую может поверить сам. Представим картину — дворянин, доктор права, чемпион мира пьет вино стаканами, да без закуски... Это уже явный перебор, ибо портвейн стаканами может пить только быдло, которое в кафе не ходит. Стаканы предназначены для безалкогольных напитков. А для алкогольных напитков существует самая разнообразная посуда — рюмки, бокалы, фужеры, которые всегда имеются в изобилии в любом кафе. Итак, Люпи — врет. Однако этого ему показалось мало и он врет еще круче»[1]. (Орфография и пунктуация сохранены.)

Что называется, не знаешь, с чего начать. Ну, во-первых, слова «когда человек врет или фантазирует» г-ну Чащихину следовало бы отнести

---

[1] http://fishka.spb.ru/artickles/history/bessmertie/247.htm

на свой счет со всеми вытекающими отсюда последствиями. Во-вторых, даже если Люпи и врет, то г-ну Чащихину не удалось поймать его на вранье и вывести на чистую воду — все его претензии неосновательны. В-третьих, Люпи рассказывает не об Алехине времен матча с Капабланкой. Речь идет о закате дней шахматного короля. И портвейн он пьет стаканами не как «быдло», а как человек, страдающий алкогольной зависимостью, которому все равно, из какой тары потреблять необходимую дозу. Некоторые в аналогичном состоянии пьют, что называется, «из горла́». В-четвертых, непонятно, почему это «быдло» не ходит в кафе? Куда же оно, интересно, ходит в таком случае? И вообще, что это за классификация: человек, пьющий портвейн из стакана, — «быдло». В-пятых, если уж умничать, то надо идти до конца. Этикет действительно диктует некоторые правила употребления спиртного. Однако международные нормы вовсе не ограничивают использование стаканов только для безалкогольных напитков. Стакан емкостью 50 см³, иначе называемый «стопка», предназначен как раз таки для алкогольных напитков, причем крепкоалкогольных. А вот стакан «коллинз» емкостью 300—400 см³ используется для пива, то есть для слабоалкогольного напитка.

В заключение приведем цитату, относящуюся к смерти А. А. Алехина, которую г-н Чащихин объясняет не иначе как убийством чекистами под руководством Ботвинника с целью устранения конкурента. О том, насколько это «достоверно» и «мотивированно», мы уже говорили, рассмотрим теперь типичные доказательства «чекистской версии», кочующие из книги в книгу, из публикации в публикацию. Г-н Чащихин приводит цитату из письма, адресованного ему В. А. Чарушиным: «Даже полвека спустя патологоанатом Александр Васильевич Алядов, разглядывая фотографию, пришел к выводу, что Алехин был отравлен примерно за двое суток до фотоснимка. После такого заявления я показал этот снимок некоторым другим патологоанатомам, которые пришли к такому же выводу: Уже внешний вид трупа полностью исключает, что причиной смерти Алехина явилось болезненное удушье от кусочка мяса»[1]. (Орфография и пунктуация сохранены.)

В интернете имя Александра Васильевича Алядова встречается только в связи с публикациями Чащихина и Чарушина. Более о нем нет никаких упоминаний. Но, допустим, этот человек умер давно, в историю патологической анатомии не вошел и потому ссылок на его имя не осталось. Пусть так. Но как можно по плохонькой фотографии полувековой (или более) давности установить причину смерти с точностью до дня — вот это большой вопрос. Веками человечество пользуется методом вскрытия. И ни одному выдающемуся врачу до сих пор еще не удавалось назвать точную причину смерти, основываясь на старой, плохого качества фотографии. Вообще вся эта фраза из письма Чарушина представляет что-то среднее между анекдотом «Ну так и вы скажите» и солженицынским «Один старый ла-

---

[1] Там же.

По сей день
вокруг имени
Александра Алехина
не утихают споры.

герник рассказывал...» Этак кто угодно может сказать: один старый патологоанатом рассказывал... Ну и пошла писать губерния! Что это за «некоторые другие патологоанатомы»? Что они знали о смерти Алехина? Хорошо ли были осведомлены об условиях его жизни, о его здоровье и привычках? А как быть с рефлекторной остановкой сердца при обтурационной асфиксии? Ну и, наконец, «а был ли мальчик?» Жил ли когда-нибудь на свете Александр Васильевич Алядов и часто ли он имел дело с обтурационной асфиксией? Как, впрочем, и те самые «некоторые другие патологоанатомы»... Этого мы не знаем. Но и доверять нелепым домыслам, глотать подлую ложь и принимать пустые слухи за истину мы не намерены.

Почему так подробно пришлось остановиться на творчестве г-на Чащихина? Именно потому, что этот автор, занявшийся, по его собственному утверждению, ревизией шахмат, стал собирательным образом современного ниспровергателя и разоблачителя, а по сути банального фальсификатора. Кроме того, остановиться подробно на деятельности г-на Чащихина нас заставило то обстоятельство, что его домыслы и ни на чем не основанные утверждения сделались предметом серьезного рассмотрения — мы уже молчим о тотальной неосведомленности этого человека. При этом на труды г-на Чащихина ссылаются другие исследователи, его суждения цитируют и всерьез обсуждают. А это значит, что ложь продолжает множиться и расти. За последние три десятилетия этой лжи повсюду скопилось такое количество, что отличить от нее правду становится подчас непросто. Особенно для человека, привыкшего доверять печатному слову и не всегда могущему вовремя сориентироваться в потоках информации. Ложь проникла повсюду, ее стало так много, что не просто не стоит потворствовать лжи — своевременное ее пресечение должно сделаться хорошим тоном. Ссылаться же на фальшивки и потакать фальсификаторам — особенно по нынешним временам — совершенно недопустимо.

Заключение

По сей день вокруг имени Александра Алехина не утихают споры. Был ли он убит, свел ли счеты с жизнью или умер своей смертью. Воевал ли на фронтах Первой мировой войны или по какой-то причине только сделал вид, что воюет. Высказывался ли против Советской России или эмигрантская печать выдала желаемое за действительное, приписав ему слова, которых он никогда не произносил. Действительно ли сотрудничал с нацистами и писал антисемитские статьи или стал жертвой манипуляций. Бесспорным остается одно — гений Алехина. А также все достижения шахматного короля, оспорить или переписать которые никому не под силу.

Но оказалось, что этого мало. Многим поклонникам Алехина и сегодня хотелось бы обелить его образ, отбросив несимпатичные черты и поступки своего кумира. По этой причине личность Алехина кажется подчас еще более загадочной и в высшей степени необъяснимой. Противоречивая натура гроссмейстера снискала такие же противоречивые оценки. Мотивы многих его поступков также объясняются с противоположных точек зрения. С чем же связана такая полярность восприятия его личности? Отчасти на этот вопрос ответил и сам Алехин: «Цель человеческой жизни и смысл счастья заключаются в том, чтобы дать максимум того, что человек может дать. И так как я, так сказать, бессознательно почувствовал, что наибольших достижений я могу добиться в шахматах, — я стал шахматным маэстро. Все же я должен отметить и подчеркнуть, что профессионалом я стал лишь после отъезда из России и что я намереваюсь продолжать работу на юридическом поприще». Казалось, он чувствовал себя гроссмейстером не только за шахматной доской, но и перед судьбой. Вся жизнь его напоминала шахматную партию, исход которой, возможно, предопределил неудачный ход в дебюте. И все же он верил, что может стать лучшим не только в шахматах. Но поскольку в Советской России, по его мнению, мечте не суждено было сбыться, а значит, невозможно было стать счастливым, он предпочел уехать.

Его формула счастья оказалась слишком механической и слишком зауженной. Мало «дать максимум того, что человек может дать», нужно еще, чтобы нашелся тот, кто в полной мере оценил бы дар и был за него благодарен. Нужны и другие сопутствующие условия, которые трудно предусмотреть все сразу.

Однако партия с судьбой сложилась так, что с гроссмейстером остались только шахматы. Хоть и принявший, в отличие от многих соотечественников-эмигрантов, французское подданство, Алехин не смог сделать карьеру дипломата. Если мир соглашался рукоплескать ему как шахматному королю, да и то, пока корона прочно держалась на его голове, то ни в каком другом качестве он был не нужен миру. Мало-помалу он превратился в мономана — человека, подчинившегося одной-единственной идее. Человека, отметавшего все, что мешало продвижению к намеченной цели и отвлекало от даривших ощущение (или иллюзию) счастья шахмат. При этом он сохранял способность глубоко чувствовать, из-за чего служение одной-единственной идее оборачивалось порой драмой.

Почему так противоречивы его высказывания и поступки? Возможно, потому что он говорил и поступал в зависимости от того, что именно требовали от него в той или иной ситуации шахматы. Он жил шахматами и подчинялся им. С некоторых пор особенно — оказаться вне шахмат стало для него смерти подобно. И если с этой точки зрения смотреть на его поступки и слова, то противоречия исчезают. Его называли приспособленцем. Но это не было приспособленчество в прямом и точном смысле слова — приспособленчеством ради денег или иных материальных выгод. Приспособленчество Алехина — это своего рода самосохранение; разумеется, не физическое, но сохранение себя как личности, как цельного и осмысленного существа, поскольку вне шахмат жизнь для него теряла смысл. А жертвовать смыслом жизни ради чего бы то ни было, особенно ради политики, он не желал и не мог. Тем не менее, повторимся, как человек остро и живо чувствующий, Алехин не раз переживал внутренний конфликт, когда, выбирая шахматы, вынужден был отказываться от того, что любил и чем дорожил.

Но каким бы он ни был, в оправданиях, особенно в лживых и нелепых, он точно не нуждается. Александр Алехин, как и всякий неординарный человек, интересен таким, каким он и был, со всеми своими недостаткам и достоинствами.

Все мы знаем, что жизнь — игра. Только для кого-то жизнь театр, а для кого-то — шахматы.

Библиография:

1. Алехин А. А. Арийские и еврейские шахматы. — М.: Русская правда, 2011. — 64 с.

2. Алехин А. А. Международные шахматные турниры в Нью-Йорке. 1924—1927. — М.: Физкультура и спорт, 1989. — 464 с.

3. Алехин А. А. На пути к высшим шахматным достижениям. — М.: Физкультура и спорт, 1991. — 448 с.

4. Алехин А. А. Ноттингем 1936. — М.: Физкультура и спорт, 1962. — 240 с.

5. Банщиков В. М. Невзорова Т. А. Психиатрия. — М.: Медицина, 1969. — 344 с.

6. Безгодов А. М. Александр Алехин: секреты мастерства. — Ростов-на-Дону: Феникс-Т, 2018. — 93 с.

7. Ботвинник М. М. Аналитические и критические работы 1928—1986: Статьи, воспоминания. — М.: Физкультура и спорт, 1987. — 528 с.

8. Ботвинник М. М. У цели. Воспоминания, партии. — М.: Полири, 1997. — 360 с.

9. Бронштейн Д., Фюрстенберг Т. Ученик чародея: учебник шахматной стратегии и тактики. — М.: РИПОЛ Классик, 2004. — 416 с.

10. Гасанов Х. Острые алкогольные психозы. — Баку: Издательство Академии наук Азербайджанской ССР, 1964. — 204 с.

11. Дудаков С. Парадоксы и причуды филосемитизма и антисемитизма в России. — 2000 https://www.e-reading.club/book.php?book=94034

12. Кобленц А. Н. Воспоминания шахматиста. — М.: Физкультура и спорт, 1986. — 240 с.

13. Котов А. А. Александр Алехин. — М.: Физкультура и спорт, 1973. — 255 с.

14. Котов А. А. Белые и черные. — М.: Советская Россия, 1985. — 219 с.

15. Котов А. А. Как стать гроссмейстером. — М.: «Russian CHESS House / Русский Шахматный Дом», 2018. — 296 с.

16. Котов А. А. Шахматное наследие Алехина. В 2-х т. — М.: Физкультура и спорт, 1982. — Т. I — 384 с., Т II — 400 с.

17. Крылов И. Ф., Бастрыкин А. И. Розыск, дознание, следствие. — М.: Экзамен, 2014. — 255 с.

18. Левенфиш Г.Я, Романовский П. А. Матч Алехин — Капабланка на первенство мира. — Л.: Издательство ВСФК — «ШАХМАТНЫЙ ЛИСТОК», 1928. — 131 с.

19. Левин Д. Г. Судебная медицина: конспект лекций — М.: ЭКСМО, 2007. — 157 с.

20. Линдер В. И., Линдер И. М. Алехин. — М.: ACADEMIA, 1992. — 312 с.

21. Любимов Л. Д. На чужбине. М.: — Советский писатель, 1963. — 416 с.

22. Правила этикета. Краткий справочник. — М.: Дельта — МКС, 1992. — 96 с.

23. Судебная медицина. — М., «Юридическая литература», 1968. — 368 с.

24. Ткаченко С. Н. Одесские тайны Александра Алехина. — М.: Издательство «Андрей Эльков», 2017. — 256 с.

25. Флор С. Сквозь призму полувека. — М.: Советская Россия, 1986. — 224 с.

26. Флор С. Часы не остановлены. — М.: Правда, 1984. — 48 с.

27. Чащихин В. Д. Алехин: моя борьба. — М.: Chassvall — Чесвел, 1992. — 96 с.

28. Чащихин В. Д. Шахматные битвы — М.: Дата-Стром, 1993. — 117 с.

29. Шабуров Ю. Н. Александр Алехин. Непобежденный чемпион. — М.: Голос, 1992. — 256 с.

30. Шабуров Ю. Н. Алехин (Жизнь замечат. людей; сер. биогр.; Вып. 794). — М.: Мол гвардия, 2001. — 265 с.

31. Golombek›s Encyclopedia of Chess. — Crown Publishing Group (NY), 1977.

32. Horowitz I. A. Rothenberg P. L. The Complete Book of Chess. — New York, 1975.

33. Markl D. L. Xeque-mate no Estoril. A morte de Alexandre Alekhine — Lisboa, Campo das Letras, 2001.

34. Moran P. A. Alekhine: Agony of a Chess Genius. — Jefferson & London, 2010.

35. Richards D. J., Soviet Chess: Chess and Communism in the U.S.S.R. — Oxford, 1965.

36. The Encyclopedia of Chess. — Chess Informant, 1979.

37. The Oxford Companion to Chess. — Oxford University Press, USA, 1992.

Справочное издание

ИКОНЫ СПОРТА

Замлелова Светлана

АЛЕКСАНДР АЛЕХИН. ПАРТИЯ С СУДЬБОЙ

Директор редакции *Р. Фасхутдинов*
Руководитель отдела *В. Обручев*
Менеджер проекта *С. Вильданов*
Художественный редактор *П. Петров*
Технический редактор *М. Печковская*
Компьютерная верстка *А. Алексеев*
Корректор *И. Анина*

Страна происхождения: Российская Федерация
Шығарылған елі: Ресей Федерациясы

В оформлении обложки использованы иллюстрации:
Denys Koltovskyi, valterZ / Shutterstock.com
Используется по лицензии от Shutterstock.com

ООО «Издательство «Эксмо»
123308, Россия, город Москва, улица Зорге, дом 1, строение 1, этаж 20, каб. 2013.
Тел.: 8 (495) 411-68-86.
Home page: www.eksmo.ru   E-mail: info@eksmo.ru
Өндіруші: «ЭКСМО» АҚБ Баспасы,
123308, Ресей, қала Мәскеу, Зорге көшесі, 1 үй, 1 ғимарат, 20 қабат, офис 2013 ж.
Тел.: 8 (495) 411-68-86.
Home page: www.eksmo.ru   E-mail: info@eksmo.ru.
Тауар белгісі: «Эксмо»
Интернет-магазин : www.book24.ru
Интернет-магазин : www.book24.kz
Интернет-дүкен : www.book24.kz
Импортёр в Республику Казахстан ТОО «РДЦ-Алматы».
Қазақстан Республикасындағы импорттаушы «РДЦ-Алматы» ЖШС.
Дистрибьютор и представитель по приему претензий на продукцию,
в Республике Казахстан: ТОО «РДЦ-Алматы»
Қазақстан Республикасында дистрибьютор және өнім бойынша арыз-талаптарды
қабылдаушының өкілі «РДЦ-Алматы» ЖШС,
Алматы қ., Домбровский көш., 3«а», литер Б, офис 1.
Тел.: 8 (727) 251-59-90/91/92; E-mail: RDC-Almaty@eksmo.kz
Өнімнің жарамдылық мерзімі шектелмеген.
Сертификация туралы ақпарат сайтта: www.eksmo.ru/certification

Сведения о подтверждении соответствия издания согласно законодательству РФ
о техническом регулировании можно получить на сайте Издательства «Эксмо»
www.eksmo.ru/certification
Өндірген мемлекет: Ресей. Сертификация қарастырылмаған

0+

Дата изготовления / Подписано в печать 02.12.2020. Формат 60x90^1/$_{16}$.
Гарнитура «JournalCTT». Печать офсетная. Усл. печ. л. 14,0.
Тираж 2000 экз. Заказ № 6334.

Отпечатано в ПАО «Можайский полиграфический комбинат».
143200, Россия, г. Можайск, ул. Мира, 93.
www.oaompk.ru, тел.: (495) 745-84-28, (49638) 20-685

Москва. ООО «Торговый Дом «Эксмо»
Адрес: 123308, г. Москва, ул. Зорге, д.1, строение 1.
Телефон: +7 (495) 411-50-74. **E-mail:** reception@eksmo-sale.ru

По вопросам приобретения книг «Эксмо» зарубежными оптовыми
покупателями обращаться в отдел зарубежных продаж ТД «Эксмо»
E-mail: **international@eksmo-sale.ru**

International Sales: International wholesale customers should contact
Foreign Sales Department of Trading House «Eksmo» for their orders.
international@eksmo-sale.ru

По вопросам заказа книг корпоративным клиентам, в том числе в специальном
оформлении, обращаться по тел.: +7 (495) 411-68-59, доб. 2261.
E-mail: **ivanova.ey@eksmo.ru**

Оптовая торговля бумажно-беловыми
и канцелярскими товарами для школы и офиса «Канц-Эксмо»:
Компания «Канц-Эксмо»: 142702, Московская обл., Ленинский р-н, г. Видное-2,
Белокаменное ш., д. 1, а/я 5. Тел./факс: +7 (495) 745-28-87 (многоканальный).
e-mail: kanc@eksmo-sale.ru, сайт: www.kanc-eksmo.ru

Филиал «Торгового Дома «Эксмо» в Нижнем Новгороде
Адрес: 603094, г. Нижний Новгород, улица Карпинского, д. 29, бизнес-парк «Грин Плаза»
Телефон: +7 (831) 216-15-91 (92, 93, 94). **E-mail:** reception@eksmonn.ru

Филиал ООО «Издательство «Эксмо» в г. Санкт-Петербурге
Адрес: 192029, г. Санкт-Петербург, пр. Обуховской обороны, д. 84, лит. «Е»
Телефон: +7 (812) 365-46-03 / 04. **E-mail:** server@szko.ru

Филиал ООО «Издательство «Эксмо» в г. Екатеринбурге
Адрес: 620024, г. Екатеринбург, ул. Новинская, д. 2щ
Телефон: +7 (343) 272-72-01 (02/03/04/05/06/08)

Филиал ООО «Издательство «Эксмо» в г. Самаре
Адрес: 443052, г. Самара, пр-т Кирова, д. 75/1, лит. «Е»
Телефон: +7 (846) 207-55-50. **E-mail:** RDC-samara@mail.ru

Филиал ООО «Издательство «Эксмо» в г. Ростове-на-Дону
Адрес: 344023, г. Ростов-на-Дону, ул. Страны Советов, 44А
Телефон: +7(863) 303-62-10. **E-mail:** info@rnd.eksmo.ru

Филиал ООО «Издательство «Эксмо» в г. Новосибирске
Адрес: 630015, г. Новосибирск, Комбинатский пер., д. 3
Телефон: +7(383) 289-91-42. E-mail: eksmo-nsk@yandex.ru

Обособленное подразделение в г. Хабаровске
Фактический адрес: 680000, г. Хабаровск, ул. Фрунзе, 22, оф. 703
Почтовый адрес: 680020, г. Хабаровск, А/Я 1006
Телефон: (4212) 910-120, 910-211. **E-mail:** eksmo-khv@mail.ru

Филиал ООО «Издательство «Эксмо» в г. Тюмени
Центр оптово-розничных продаж Cash&Carry в г. Тюмени
Адрес: 625022, г. Тюмень, ул. Пермякова, 1а, 2 этаж. ТЦ «Перестрой-ка»
Ежедневно с 9.00 до 20.00. Телефон: 8 (3452) 21-53-96

Республика Беларусь: ООО «ЭКСМО АСТ Си энд Си»
Центр оптово-розничных продаж Cash&Carry в г. Минске
Адрес: 220014, Республика Беларусь, г. Минск, проспект Жукова, 44, пом. 1-17, ТЦ «Outleto»
Телефон: +375 17 251-40-23; +375 44 581-81-92
Режим работы: с 10.00 до 22.00. **E-mail:** exmoast@yandex.by

Казахстан: «РДЦ Алматы»
Адрес: 050039, г. Алматы, ул. Домбровского, 3А
Телефон: +7 (727) 251-58-12, 251-59-90 (91,92,99). E-mail: RDC-Almaty@eksmo.kz

Украина: ООО «Форс Украина»
Адрес: 04073, г. Киев, ул. Вербовая, 17а
Телефон: +38 (044) 290-99-44, (067) 536-33-22. **E-mail:** sales@forsukraine.com

Полный ассортимент продукции ООО «Издательство «Эксмо» можно приобрести в книжных
магазинах «Читай-город» и заказать в интернет-магазине: www.chitai-gorod.ru.
Телефон единой справочной службы: 8 (800) 444-8-444. Звонок по России бесплатный.

Интернет-магазин ООО «Издательство «Эксмо»
www.book24.ru
Розничная продажа книг с доставкой по всему миру.
Тел.: +7 (495) 745-89-14. E-mail: imarket@eksmo-sale.ru

ISBN 978-5-04-110450-4

9 785041 104504 >

eksmo.ru

ПРИСОЕДИНЯЙТЕСЬ К НАМ!

МЫ В СОЦСЕТЯХ:

🅕 eksmolive
🆅🅚 eksmo
🅞 eksmolive
➕ eksmo.ru
▶ eksmo_live
🅣 eksmo_live